LE JARDIN SECRET

LINDA CHAPMAN

LE JARDIN SECRET

D'après le scénario écrit par Jack Thorne,
et d'après le roman original de
Frances Hodgson Burnett

Traduit de l'anglais par Christophe Rosson

POCKET JEUNESSE
PKJ·

Titre original :
The Secret Garden

Loi n° 49 956 du 16 juillet 1949 sur les publications destinées
à la jeunesse : mars 2020

Originally published in English in Great Britain by HarperCollins
Children's Books, a division of HarperCollins*Publishers* Ltd,
under the title :
THE SECRET GARDEN : THE STORY OF THE MOVIE
Written by Linda Chapman
Based on the screenplay by Jack Thorne,
and based on the original novel by Frances Hodgson Burnett
© 2020 STUDIOCANAL S.A.S., All rights reserved.
French Translation © 2020 Pocket Jeunesse,
département d'Univers Poche,
translated under licence from HarperCollins*Publishers* Ltd.
Cover design copyright © HaperCollins *Publishers* Ltd 2020.

ISBN : 978-2-266-31038-3
Dépôt légal : mars 2020

CHAPITRE UN

Des bruits dans la nuit

Mary Lennox n'arrivait pas à trouver le sommeil. Le gros ventilateur qui brassait l'air au-dessus d'elle ne diminuait en rien la chaleur accablante des Indes. Dehors, le concert nocturne des insectes était étouffé par les voix des serviteurs. « Ils sont bien bruyants, ce soir, songeait Mary. Pourquoi papa ne les fait-il pas taire ? » Elle se rassit sur son lit, coinça derrière ses oreilles des cheveux qui la gênaient et prit sa poupée de chiffon.

— Jemima, tu ne dors pas ? chuchota-t-elle.

Pour toute réponse, Jemima se contenta de la regarder.

Mary aimait se persuader que Jemima comprenait ce qu'elle lui disait, car elle se sentait moins seule quand elle pouvait lui parler, lui raconter des histoires. Elle s'ennuyait moins. Mary était fille unique, et les domestiques – à l'exception de son *ayah*, sa nurse indienne – gardaient leurs distances avec elle. L'enfant n'avait pas le droit de jouer dehors, car le soleil était trop ardent. Son père était trop accaparé par son travail pour passer du temps avec elle. Du moins, il n'en passait pas autant qu'elle l'aurait souhaité. Quant à sa mère... Mary se mordit la lèvre. Elle savait que sa mère ne l'aimait pas. Il lui arrivait même de penser qu'elle la détestait.

« Eh bien moi aussi, je la déteste », se dit la petite fille, renfrognée.

Un cri retentit quelque part dans la villa, suivi par un fracas et un claquement de porte. Le ventre noué par la peur, Mary se tourna vers la porte de sa chambre. Que se passait-il... ?

Elle avait surpris des conversations de son père qui évoquaient des heurts dans tout le pays. Mary n'y comprenait pas grand-chose, mais il lui semblait que le peuple indien ne voyait plus d'un bon œil la présence des Anglais sur leur territoire et réclamait qu'ils s'en aillent. Le père de Mary et ses amis avaient parlé d'échauffourées dans les rues. Mais il devait sûrement s'agir de rues très lointaines, dans des villes encore plus lointaines. Le personnel indien de la famille Lennox était si dévoué que Mary ne pouvait imaginer qu'ils prennent part à des échauffourées. Non, elle était en sécurité dans cette villa. Elle n'avait absolument rien à craindre.

S'efforçant de ne pas entendre les bruits et les cris qui lui parvenaient de l'extérieur de sa chambre, Mary se mit à caresser les cheveux de laine de Jemima.

— As-tu peur, Jemima ? chuchota-t-elle. Rassure-toi. Ce ne sont que des affaires de grandes personnes. Cela te ferait-il plaisir, que je te raconte une histoire pour te changer les idées ?

Mary alluma une lanterne, puis descendit de son lit et conduisit Jemima au petit tas de coussins et de plaids qu'elle avait disposés au milieu de sa chambre. Elle entreprit alors de lui raconter une de ses histoires préférées, en l'illustrant par des ombres chinoises. C'était une histoire qu'elle tenait de son ayah : elle parlait d'un garçon, Rama, et d'une fille, Sita, qui étaient amoureux, et du démon qui, un jour, enleva Sita. Les histoires de la vieille Indienne étaient toujours peuplées de dieux et de démons, gorgées de magie et de frisson.

Mary n'avait pas tout à fait terminé son récit que les bruits extérieurs s'étaient estompés, et qu'elle-même avait les paupières lourdes.

— Rama s'apprêtait à rattraper Sita et le démon, quand ce dernier l'emprisonna dans une cage de flammes, prononça Mary en bâillant. Par chance, Agni, le dieu du Feu, observait la scène, et il écarta les flammes pour en libérer Rama et le transporter dans les nuages. Après cela, tous deux partirent ensemble à la recherche du grand amour de Rama.

Mary souffla la lanterne, s'allongea sur les coussins, Jemima entre ses bras. Ses paupières papillotèrent et très vite elle s'endormit.

Un gazon humide... des parterres de fleurs roses, lilas et bleues... des arbres aux branches ployant sous le poids des fleurs... Mary courait dans une allée flanquée de statues... Un adulte lui tenait la main. Elle riait, s'efforçait de ne pas trébucher, et éprouvait un bonheur aussi fabuleux qu'entier...

Mary sortit lentement du sommeil. L'espace d'un instant, elle voulut se raccrocher à ce rêve familier, cependant il s'envola, comme toujours. Ce jardin de rêve ne ressemblait à aucun de ceux qu'elle connaissait, or il lui semblait bien réel lorsqu'elle s'y trouvait, et elle s'y sentait chaque fois au comble du bonheur. Mary soupira, se frotta les yeux. La première chose qu'elle remarqua furent les volets ouverts et la lumière du soleil qui entrait par la fenêtre. Son ventre gargouilla. Où était donc son ayah ? Pourquoi ne lui avait-elle pas apporté son petit déjeuner ?

Tiraillée par la faim et l'agacement, Mary appela « Ayah ! » très fort. À sa grande surprise, la porte ne s'ouvrit pas sur le visage plein de bonté de la vieille dame. En colère à présent, Mary haussa la voix :

— Ayah ! Je t'appelle ! Il est tard et je ne suis même pas habillée. *AYAH !* cria-t-elle d'une voix stridente.

Mary patienta. Mais personne ne vint. Ça, par exemple ! Le plus grand silence régnait dans la maison. C'était étrange. D'ordinaire, Mary entendait les domestiques s'affairer. Un malaise l'envahit au souvenir des drôles de bruits perçus pendant la nuit.

— Tu... tu penses qu'on devrait aller trouver quelqu'un, Jemima ? demanda-t-elle d'une voix qu'elle voulut forte et courageuse mais qui chevrota quand même. À mon avis, c'est une très bonne idée. Ne crains rien. Je veille sur toi. Nous allons trouver papa, et il fera venir Ayah.

Mary ouvrit la porte de sa chambre et s'arrêta sur le seuil. Dans le couloir, les tableaux avaient été décrochés, dépouillés de leurs cadres dorés. Le cœur palpitant, elle partit fouiller la villa. Le même spectacle de désolation l'attendait dans chaque pièce : rideaux arrachés, bibelots fracassés, meubles presque tous volatilisés. Dans la cuisine, enfin, tous les placards étaient ouverts et les étagères vides. Les objets de valeur avaient disparu sans exception. Comble du désespoir, il n'y avait pas âme qui vive dans la maison.

— Papa ? Ayah ? prononça Mary, de plus en plus angoissée.

Elle ouvrit les portes de la véranda. Sous le soleil éclatant, le jardin était aussi désert que la maison. Mary serra bien fort Jemima.

— Où sont-ils tous passés ? chuchota-t-elle.

CHAPITRE DEUX

Un long voyage

Assise sur la banquette en bois d'un immense navire, qui avançait lentement sur l'océan, Mary quittait les Indes pour l'Angleterre. Le dos bien droit, Jemima dans ses bras, elle contemplait le ciel en silence. Un groupe d'enfants turbulents jouaient sur le pont, à quelques pas d'elle, mais Mary ne se joignit pas à eux. Plusieurs semaines s'étaient écoulées depuis le matin où elle avait découvert sa maison dévastée. Il lui semblait que c'était dans une autre vie.

Personne ne s'était présenté à la villa avant deux jours, quand deux officiers anglais étaient venus frapper à la porte. Stupéfaits de la trouver là, sale, assoiffée et affamée, ils l'avaient conduite à l'hôpital. Mary avait interrogé ces hommes au sujet de ses parents, mais ils lui avaient répondu d'être sage et de ne pas s'alarmer. À l'hôpital, une infirmière lui avait donné à manger et à boire, l'avait aidée à se laver et à enfiler des habits propres. Puis Mary avait été examinée par un docteur. Pas plus ce dernier que l'infirmière ne lui avaient répondu, à leur tour, quand elle s'était une nouvelle fois inquiétée de ses parents.

Dans la salle d'attente où elle s'était demandé quand papa allait venir la chercher, et ce qu'il dirait lorsqu'il découvrirait que tous les domestiques avaient disparu, elle avait surpris un échange entre les deux officiers, dans une pièce voisine.

— Un bazar affreux, avait déclaré le premier d'une voix grave. Pauvre enfant ! Si seulement nous avions évacué cette famille avant les troubles… L'épidémie de choléra n'aurait pas pu tomber à un plus mauvais moment pour eux.

Mary avait tendu l'oreille. Elle savait que le choléra faisait beaucoup de victimes, mais quel était le rapport avec sa famille ?

— D'après le docteur, la mère a contracté la maladie de façon subite, poursuivit l'officier. Le père l'a amenée ici en pleine nuit, mais c'était déjà trop tard.

Mary s'était figée, un pressentiment lugubre montait en elle. « Trop tard pour quoi ? »

— La mère est morte le soir même, et le père, le lendemain matin.

Le cœur de Mary s'était mis à cogner si fort, que la petite fille avait cru qu'il allait jaillir de sa poitrine. « Maman et papa… ils sont morts ? » Non, ce n'était pas possible. Pas tous les deux ! Elle savait déjà, cependant, avec une certitude horrible et accablante, que c'était la vérité. Jamais les officiers ne se seraient trompés sur une chose pareille. Un sanglot l'avait alors secouée.

Aussitôt après, elle avait entendu des pas, et l'un des officiers avait passé la tête à la porte.

— Oh, Seigneur ! elle est là…

L'homme s'était raclé la gorge, visiblement gêné et dépourvu à l'idée de devoir consoler une enfant de dix ans.

Son collègue l'avait rejoint.

— Mon Dieu ! qu'allons-nous bien pouvoir faire d'elle ? Elle ne va tout de même pas rester ici.

Mary avait levé ses yeux embués vers le premier officier, qui compulsait ses notes.

— Elle a un oncle veuf en Angleterre, dit l'homme. Nous allons la lui envoyer par bateau, avec les autres enfants.

❊

Mary avait ensuite été brinquebalée comme un colis dont personne ne voudrait. Après l'hôpital, elle avait été confiée à un pasteur, M. Crawford, qui avait déjà une femme et cinq enfants. Autour d'elle, les adultes répétaient que la compagnie d'autres enfants lui serait profitable, mais elle ne le comprenait pas. Elle n'avait aucune envie de jouer avec les petits Crawford. Ils étaient plus jeunes qu'elle et la harcelaient de questions sur ses parents et leur mort.

Accablée de chagrin, Mary refusait de leur répondre. Jusqu'au jour où, perdant patience, elle avait déchiré le dessin que lui avait offert le benjamin de la fratrie et leur avait crié à tous de lui ficher la paix. Après quoi, les enfants ne l'avaient plus approchée, préférant l'observer de loin, comme une bête sauvage. Mary s'en moquait bien. Il lui semblait que, dorénavant, plus rien n'aurait d'importance.

Elle avait surpris une conversation entre le pasteur et son épouse – une femme costaude, animée des meilleures intentions.

— La pauvre petite… sa famille en Angleterre a été prévenue… Son oncle par alliance, vois-tu… Le mari de la sœur jumelle de la mère, morte il y a belle lurette… Quelle tragédie, le malheureux… mais il est la seule famille qu'il lui reste… Il va devoir la recueillir, que ça lui plaise ou non…

Enfin, un télégramme était arrivé. Mme Crawford avait annoncé à Mary :

— Le navire qui va t'emmener en Angleterre lève l'ancre demain. Ton oncle, M. Craven, le mari de ta défunte tante Grace, a accepté de te recueillir. Il habite le Yorkshire, au manoir de Misselthwaite. Tu as bien de la chance, Mary. Ton oncle est un homme riche.

La fillette avait senti sa gorge se serrer. Comment Mme Crawford pouvait-elle affirmer une chose pareille ? Elle venait de perdre ses parents, et partait vivre avec un oncle dont elle ne savait rien, dans une maison affreuse : à l'étranger ! Les larmes lui étaient venues, mais elle s'était refusé à pleurer devant les Crawford.

Sans rien laisser paraître, elle était montée à l'étage. Une fois dans sa chambre, la porte refermée, elle s'était jetée sur le lit et avait étouffé ses sanglots amers dans son oreiller.

✳

Le navire qui conduisait Mary de Bombay en Angleterre était bondé et bruyant. De nombreuses familles regagnaient la Grande-Bretagne à la suite des troubles qui agitaient les Indes. Mary avait la consigne de prendre ses repas avec les autres enfants et d'obéir aux grandes personnes. La situation l'horripilait : la nourriture était infecte, les autres enfants se comportaient comme des sauvageons braillards. Le premier jour, elle ne toucha même pas à son assiette.

— C'est dégoûtant ! s'indigna-t-elle.

Son voisin, un garçon en haillons, vida aussitôt le contenu de son assiette dans la sienne.

Mary se tourna vers lui, outrée.

— Je ne t'ai pas autorisé à faire ça ! gronda-t-elle.

— Tu ne me l'as pas interdit non plus, rétorqua le garçon. Si tu n'en veux pas, moi, je le mange.

— Tu ne comprends pas. J'ai besoin de nourriture de meilleure qualité. Je viens de perdre mes parents.

— On a tous perdu quelqu'un, ma petite, conclut le garçon en haussant les épaules.

Mary le regarda engloutir sa part. Cet inconnu n'était certes pas le compagnon de voyage idéal, néanmoins il était jusque-là le seul à lui avoir adressé la parole.

— Dis-moi… cela te plairait-il d'entendre une histoire ? proposa Mary.

— Non, lui renvoya le garçon avec un regard méprisant. Je ne suis plus un enfant.

Sur ce, il alla s'asseoir ailleurs, abandonnant Mary à son triste sort.

La petite fille alla s'appuyer à la rambarde du navire. Elle souleva Jemima au-dessus de l'océan bleu foncé. Elle pourrait peut-être raconter une histoire à sa poupée et s'évader par l'imagination, oublier tout le reste. Les histoires l'avaient toujours aidée à supporter la froideur de sa mère ou les absences de son père.

— Je vais te raconter une histoire, Jemima, commença-t-elle. Comme à la maison. Il était une fois un seigneur des mers. Il s'appelait Varuna et il… et il…

Les mots s'effacèrent dans sa tête. Mary ressaya pourtant.

— Varuna était très puissant. Il…

Elle se tut encore. À quoi bon insister ? Elle ne pensait qu'à une chose : la villa.

— Je n'ai plus de maison, pas vrai, Jemima ? souffla-t-elle. Je n'ai plus ma place où que ce soit, ni auprès de qui que ce soit.

Mary ressentit soudain comme un coup de poignard dans le ventre face au visage inexpressif de sa poupée.

Jemima n'était qu'un jouet, pas une amie. Seuls les enfants jouaient à la poupée ; seuls les enfants avaient ordre de manger ce qu'on leur servait et de ne pas se plaindre. Les enfants se laissaient mener çà et là ; les enfants devaient obéir aux adultes. Et brusquement, Mary prit une grande décision.

— Je ne suis plus une enfant.

Elle lâcha Jemima. Quand la poupée heurta les vagues, Mary retint son souffle. Horreur ! Jemima flotta un instant et lui adressa un ultime regard avant que les flots l'engloutissent.

Une boule se logea dans la gorge de Mary, qui la ravala. « Fini les larmes », s'ordonna-t-elle. Elle releva le menton, fit son regard le plus rebelle. Non, elle ne pleurerait plus ; ni maintenant ni jamais.

Elle croisa les bras, se détourna de la rambarde, un cadenas sur son cœur brisé.

CHAPITRE TROIS

Le manoir de Misselthwaite

Quand le navire accosta en Angleterre, Mary fit la rencontre d'une dame aux cheveux gris et à l'allure austère. Vêtue d'un pardessus en laine bleue d'où dépassait un bout d'écharpe, elle avait au bras un sac en cuir. Toisant Mary de la tête aux pieds, elle plissa le front. Mary devina qu'elle ne lui faisait pas bonne impression.

— Je suis Mme Medlock, déclara la dame. La gouvernante de M. Craven. Et tu dois me suivre.

Mary se rappela un mot par lequel son père avait un jour décrit la tante âgée d'un collègue : *épouvantable*. « Oui, cette Mme Medlock est bien épouvantable », observa Mary. Il ne lui échappa cependant pas que cette femme n'était que la gouvernante de son oncle – une domestique – et qu'il lui incombait donc d'obéir à ce que lui disaient les membres de la famille.

Fidèle à sa décision de ne plus se comporter en enfant, Mary soutint le regard de Mme Medlock.

— Très bien, déclara-t-elle froidement.

Sur ce, la tête haute, elle emboîta le pas à Mme Medlock, qui la conduisit au train pour le Yorkshire. Quand le sifflet retentit et que le train s'ébranla dans un panache de fumée, Mary s'aperçut que Mme Medlock l'observait.

— Ce que tu peux être quelconque… fit la dame avec un fort accent du Yorkshire.

La formule intrigua Mary, qui ne la connaissait pas. « Elle ne me trouve pas belle », finit-elle par deviner. Cela ne la dérangeait pas, car elle-même ne se trouvait pas particulièrement jolie. Elle n'avait pas les longs cheveux blonds d'une princesse de conte de fées, ni la tignasse noire et les yeux marron ensorcelants des petites Indiennes des histoires que lui racontait son ayah. Mary était plutôt petite, maigre, et avait les cheveux bruns. Le teint pâle aussi, et des yeux noisette presque trop grands pour son visage. « Elle dit la vérité, raisonna Mary. Mais venant d'une domestique, c'est surprenant. »

La petite fille se tourna pour regarder le paysage par la vitre.

Face à elle, Mme Medlock s'assit plus fermement sur son siège avant de prononcer, d'une voix où pointait un avertissement :

— J'ignore ce qu'on t'aura annoncé, fillette, mais ne t'attends pas au grand luxe, à Misselthwaite. Le manoir n'est plus ce qu'il était.

Son regard se perdit dans le vague et, l'espace d'un instant, Mary eut l'impression qu'elle revivait le passé.

— Du vivant de la jeune maîtresse, reprit Mme Medlock, le personnel était au complet, les écuries étaient bien garnies, on donnait des bals somptueux… Tout cela a changé, désormais. Ces militaires, quels sauvages ! Ils ont transformé la demeure en hôpital durant la guerre. Ils y accueillaient les blessés, les morts et les mourants. Ils avaient installé leur camp dans le jardin et affecté la salle de bal aux malades. Ils se sont accaparé les lieux, si bien qu'on ne sait plus aujourd'hui qu'en faire. Ils n'ont laissé que des ruines derrière eux.

Mary ne dit rien.

Cependant, Mme Medlock attendait une réponse.

— Eh bien ? la relança-t-elle. Cela ne t'émeut donc pas ?

— Quelle importance, que cela m'émeuve ou non ? répliqua sans ménagement Mary.

Mme Medlock plissa les yeux. Elle observa Mary un long moment.

— Ma foi, reprit-elle ensuite, tu m'as l'air d'être bien impertinente.

Mary préféra se retourner vers le paysage pour ne plus avoir à parler à la gouvernante qui, décidément, ne lui plaisait pas beaucoup. Mme Medlock soupira, puis sortit un livre de son sac.

Mary découvrait le paysage du nord de l'Angleterre. Quelle grisaille ! La pluie fouettait la vitre. Des champs détrempés s'étiraient dans toutes les directions, peuplés de vaches et de moutons qui baissaient la tête sous le déluge.

Un sacré contraste avec le soleil radieux des Indes. Là-bas, la pluie était accueillie comme un hôte longtemps attendu, elle donnait vie aux fleurs et aux jeunes pousses.

Quittant le train, les deux voyageuses poursuivirent leur route à bord d'une automobile conduite par un homme bourru. Mary s'endormit sitôt qu'ils s'éloignèrent de la gare. À son réveil, elle découvrit que le véhicule était environné d'immenses étendues grises. Elle n'avait jamais rien vu de pareil.

— Est-ce la mer ? demanda-t-elle.

— La mer ! manqua de s'étouffer Mme Medlock. Quelle idée ! Ce que tu vois, c'est la lande. À ce propos : tu veilleras bien à ne pas sortir dans le brouillard, sous peine de t'y perdre.

À en juger par le ton sur lequel elle avait prononcé ces derniers mots, Mary compris que la perspective ne déplaisait pas à la gouvernante. Mary serra les lèvres. Mme Medlock ne semblait décidément pas vouloir d'elle à Misselthwaite. Pas plus qu'elle-même ne voulait y emménager. « Qu'elle ne m'importune pas, et je ne l'importunerai pas, décréta Mary. Tout ce que je demande, c'est qu'on me fiche la paix. »

L'automobile suivait la route étroite de la lande, entre bruyères, moutons et chevaux sauvages. Au hasard d'une trouée dans le brouillard, Mary crut voir l'éclat orange et rouge de flammes qui dansaient et, une fois, elle fut même sûre de reconnaître un groupe d'individus en haillons affairés autour d'une charrette mais, quand elle y regarda de plus près, le brouillard s'intensifia et les silhouettes disparurent.

Le trajet semblait ne jamais devoir s'achever, quand enfin le véhicule s'engagea sur une longue allée qui traversait un parc dont les limites se confondaient avec la lande. Au bout du chemin se dressait un manoir en pierre monumental. Ses tourelles pointues se dessinaient en ombres chinoises dans le crépuscule. Une faible lumière, une seule, brillait à une fenêtre de l'étage.

— Nous y voilà, annonça Mme Medlock avec une once de fierté dans la voix tandis qu'elle contemplait le bâtiment obscur et menaçant. Misselthwaite.

Quand l'automobile franchit le portail, Mary aperçut un rouge-gorge perché sur un pilier. L'oiseau parut un instant la scruter droit dans les yeux, mais très vite il s'envola.

Le véhicule s'arrêta. Mary découvrit l'immense demeure et en eut un long frisson. Misselthwaite avait tout du manoir hanté.

— Voici ta nouvelle maison, déclara Mme Medlock, grâce à la bonté de ton oncle. (Elle lança un regard sévère à Mary.) Tu veilleras à ne pas le scruter avec insistance, jeune fille. Est-ce clair ?

Mary s'interrogea : pourquoi cette dame pensait-elle qu'elle allait dévisager son oncle ?

Mme Medlock poursuivit :

— Le pauvre homme a déjà bien assez souffert. Alors quand il te verra, quand il te découvrira… Non.

(La gouvernante secoua la tête, comme si tout cela était trop pénible à envisager.) Une ombre, voilà comment tu devras te comporter à Misselthwaite, fillette. Comme une ombre.

Mary ne comprenait pas en quoi le simple fait de la voir pourrait bouleverser son oncle, mais elle n'eut pas le temps de questionner Mme Medlock. Celle-ci s'engageait déjà sur les marches en pierre qui menaient à la grande porte en chêne. Mary lui emboîta le pas et pénétra à son tour dans le gigantesque hall d'entrée. Des portraits d'hommes et de femmes austères ornaient les murs, tandis qu'un large escalier central menait au palier percé d'une fenêtre démesurée. À mille lieues de la villa claire et spacieuse où elle avait vécu aux Indes.

— Commençons par le commencement, déclara Mme Medlock en s'approchant d'un interrupteur mural en bronze. Nous avons l'électricité dans toutes les pièces.

Elle abaissa l'interrupteur : l'énorme lustre en verre du hall s'alluma, mais les ampoules s'éteignirent aussitôt dans un sifflement. Mme Medlock haussa les sourcils.

— Il peut toutefois y avoir des ratés, enchaîna-t-elle. Par conséquent, si tu dois te déplacer la nuit, tu prendras une lampe. Autre point : le maître de maison est veuf, et il vit seul. Il s'est engagé à ce que quelqu'un vienne sous peu veiller sur toi. Néanmoins, en attendant, n'escompte pas qu'on te fasse la conversation, cela n'arrivera pas.

Mary refusait de se laisser impressionner, ni par son interlocutrice ni par les dimensions saisissantes du hall. Elle releva le menton et répliqua :

— Je n'attends pas qu'on me fasse la conversation. Je ne suis plus une enfant.

Et ce ne fut pas sans satisfaction qu'elle vit la gouvernante cligner des yeux de surprise. Puis Mme Medlock tourna les talons et gravit le grand escalier. Au premier étage, celui-ci se scindait en deux directions opposées. Mary suivit la femme, qui s'engageait déjà dans un long couloir lugubre.

— Ces murs ont six siècles, l'informa Mme Medlock qui avançait dans ce dédale flanqué de portes closes. On y recense près de cent pièces. Nous te ferons savoir celles auxquelles l'accès t'est permis, et celles dont tu ne devras pas t'approcher. En attendant, tu voudras bien te cantonner à tes appartements. Est-ce compris ?

Mary hocha la tête. La gouvernante ajouta :

— Tu as le droit de jouer dehors, dans le parc, mais pas d'explorer la maison. (Elle se pencha vers la petite fille avec le plus grand sérieux.) Tu ne furèteras pas, la mit-elle en garde.

Mary soutint son regard et répondit :

— Je vous assure, madame Medlock, que *fureter* ne m'intéresse en aucune façon.

— Hmm, fit la dame. (Elle soupira, puis s'arrêta devant une porte.) Nous y voilà.

Elle poussa le battant, révélant une chambre à coucher. Mary y entra, et Mme Medlock se hâta de refermer la porte derrière elle. La nouvelle occupante des lieux entendit les pas de la gouvernante s'éloigner.

Mary se sentit toute petite dans cette grande chambre. Il y avait là un lit en fer tendu d'une fine couverture et d'un oreiller bien mince ; à côté, une table de chevet sur laquelle était posée une lampe ; sur le plancher, deux tapis élimés ; aux murs, un papier peint passé, à motifs d'arbres et d'oiseaux. La fenêtre, immense, était flanquée de lourds rideaux. Un petit feu brûlait dans l'âtre. Enfin, un vieux cheval à bascule et un coffre à jouets cabossé complétaient le tableau.

« Voilà donc ma nouvelle chambre, songea Mary en promenant son regard sur ce décor miteux, datant d'un autre temps. Non, je ne vais pas pleurer. »

Elle sentit pourtant sa gorge se serrer.

La petite fille s'interrogea alors sur la personnalité de son oncle. Elle s'était attendue à ce qu'on le lui présente à son arrivée. Il n'avait peut-être pas envie de la voir. Mme Medlock lui avait en tout cas donné la nette impression qu'il ne l'accueillait pas de gaieté de cœur à Misselthwaite.

« Personne ne veut de moi, se désolait-elle, le cœur gros. Personne ne m'aime. Ils auraient sans doute tous préféré que je meure aux Indes. »

Elle ôta ses bottines et son manteau, puis se glissa sous la fine courtepointe brodée, les genoux repliés contre sa poitrine. Elle revit les Indes en pensée… le soleil, les orchidées rouge et jaune vif qui fleurissaient après la pluie, les singes dans les arbres, les mangues mûres ; son père qui la faisait voler dans ses bras en l'appelant son petit singe ; son ayah qui lui souriait avec amour, ravie d'apporter à la petite *miss sahib* tout ce qu'elle désirait.

« Je veux rentrer, se répétait avec nostalgie Mary. Chez moi. Retrouver le soleil et les fleurs. Je veux me réveiller, revoir papa et Ayah, et savoir que tout cela n'aura été qu'un horrible cauchemar. »

Or une petite voix lui soufflait : « Ce n'est pas un cauchemar. C'est la réalité, et tout cela s'est produit à cause du souhait que tu as formulé… »

« Non ! » Mary chassa ce souvenir.

Les yeux rivés sur les fleurs brodées de la courtepointe, elle se força à les imaginer réelles, colorées et parfumées. À mesure que la magie de l'imagination opérait, les fleurs parurent se raviver et pousser sous ses yeux. S'agitant, s'inclinant, elles emmenaient la fillette bien loin de ce manoir…

Mary se retrouva dans son jardin aux Indes, à mi-chemin entre rêve et souvenir de l'an passé. Elle accourut vers le palmier qu'elle avait escaladé la veille. Pour la première fois, elle avait atteint le sommet par ses propres moyens, et maintenant elle voulait que sa mère la voie, qu'elle soit fière d'elle ! Un coup d'œil à la villa lui montra sa mère debout sur la véranda, une main posée sur son front, la tête basse.

— Maman ! Regarde comme je grimpe haut ! lança Mary en entamant l'escalade. Maman, regarde, s'il te plaît !

Mais sa mère rentra dans la maison. Sans même lui adresser un coup d'œil…

❋

Mary se réveilla dans le noir, malheureuse et glacée. Ses yeux dardèrent dans toutes les directions. Où était-elle ? Tout lui revint lorsqu'elle avisa l'ombre du cheval à bascule et les contours de la colossale fenêtre. Bien sûr. Elle était au manoir de Misselthwaite. Pendant qu'elle dormait, quelqu'un était venu prendre son manteau et ses bottines, et tirer les rideaux – Mme Medlock, peut-être, ou une domestique.

Mary frissonna ; des couvertures supplémentaires auraient été les bienvenues. Aux Indes, elle avait toujours une clochette près de son lit, qu'il lui suffisait d'agiter pour que son ayah paraisse. Ici, point de clochette.

— Ohé ? tenta-t-elle d'appeler. Ohé ? répéta-t-elle plus fort.

Hélas ! seul l'écho lui répondit dans cet étrange silence.

Un cri perçant retentit soudain dans la maison. Mary sursauta. On aurait dit un enfant, or il n'y avait pas d'autre enfant qu'elle au manoir. Un oiseau ou un animal, peut-être ? Mary entendit de nouveau le cri. Elle bascula ses jambes hors du lit puis s'approcha de la porte, sa curiosité piquée. Le cri semblait provenir de l'étage du dessus. Son oncle ? Elle tendit l'oreille. Non, cela ne ressemblait pas à un cri d'adulte. Une angoisse l'envahit. « Et si… et si c'était un fantôme ? »

Un frisson lui parcourut le corps et, l'espace d'un instant, Mary se demanda si elle ne ferait pas mieux de rester dans sa chambre sans plus y prêter attention. Mais la curiosité l'emporta. Elle devait en avoir le cœur net.

Alors, s'armant de tout son courage, Mary ouvrit la porte de sa chambre et s'engagea dans le couloir lugubre.

CHAPITRE QUATRE

La nuit au manoir

Mary découvrit un escalier en colimaçon sans doute réservé au personnel. Le bruit semblait toujours provenir de l'étage supérieur. Les cris cessèrent toutefois sitôt qu'elle posa le pied sur une marche.

— Ohé ? fit-elle tout bas. Il y a quelqu'un ?

Comme personne ne lui répondait, elle reprit l'ascension de l'escalier sombre. Les cris revinrent ; cessèrent encore. Pressant le pas, Mary gagna un palier éclairé par le clair de lune, puis elle s'enfonça au pas de course dans le couloir étroit et obscur, et franchit un coude.

Là ! Un fantôme ! Mary se figea, le souffle coupé, lorsqu'elle aperçut une fillette au bout du couloir. Elle mit quelques secondes à s'apercevoir qu'elle avait face à elle un gigantesque miroir, et que le « fantôme » n'était que son propre reflet. Elle soupira, soulagée, et sentit que son cœur se calmait déjà.

Un fracas retentit alors à l'étage supérieur et Mary céda à la panique. Elle fit demi-tour, fila dans le couloir comme si elle avait toute une armée de spectres à ses trousses. Elle se réfugia dans sa chambre, en claqua la porte, s'adossa contre le battant et s'efforça de reprendre son souffle. Quand ce fut fait, elle s'allongea dans son lit, remonta la courtepointe sur sa tête et ferma les yeux. Elle ne les rouvrit pas avant le matin.

✳

À son réveil, il faisait jour. La lumière dessinait les contours des lourds rideaux. Son aventure nocturne avait-elle réellement eu lieu ?

Mary alla ouvrir les rideaux. Sa fenêtre donnait sur l'allée et, au-delà, sur la lande embrumée. Un homme sortit de la maison, en traînant derrière lui un vieux cadre de lit en fer, qu'il laissa tomber sur le gravier. Cet homme semblait avoir l'âge de son père. Il portait un pantalon foncé et un gilet par-dessus une chemise aux manches retroussées. Il avait les traits burinés, la mine triste et les cheveux en bataille.

« Ce doit être mon oncle », estima Mary.

Ce personnage dégageait une impression étrange. Cela venait de son dos, nota la fillette. D'une bosse, entre ses épaules, qui l'obligeait à s'incliner légèrement. Les propos de Mme Medlock furent soudain limpides : « Tu veilleras à ne pas le scruter avec insistance. » Mary le regarda attentivement. Elle se demandait pourquoi personne ne lui avait jamais dit que son oncle était bossu. Cela ne l'aurait pas dérangée. Elle avait lu, plus jeune, l'histoire d'un bossu qui avait épousé une belle princesse qu'il aimait de tout son cœur.

L'homme rentra dans le manoir et reparut un instant plus tard chargé d'un autre cadre de lit. Cette fois, Mme Medlock l'accompagnait.

— Monsieur ! s'écria-t-elle. Je vous en conjure, laissez les lits. L'armée viendra les récupérer. Ce n'est pas un travail pour vous.

— Il faut mettre de l'ordre, s'entêta l'homme.

— Certes ! mais pas dans ces conditions. Vous allez vous blesser. Par pitié, monsieur, rentrez donc.

Mme Medlock l'implorait du regard. Mary vit son oncle se passer une main dans les cheveux, puis capituler. Regagnant le manoir à la suite de la gouvernante, il jeta un coup d'œil vers la fenêtre de Mary. La petite fille s'accroupit pour ne pas se faire prendre en train de l'épier. Elle s'éloigna de la fenêtre. Toutes ces rides sur la figure de son oncle... Il n'était pourtant pas très vieux. C'est donc qu'il avait beaucoup souffert dans sa vie.

Au même instant, la porte de sa chambre s'ouvrit et une domestique entra. Elle paraissait âgée d'une vingtaine d'années et portait une élégante robe grise boutonnée jusqu'au cou. Ses cheveux, bruns, étaient ramenés en un chignon impeccable. Elle apportait à Mary un bol de porridge.

La fillette s'étonna que la servante n'ait pas toqué avant d'entrer.

— Qui êtes-vous ? l'interrogea-t-elle.

— Bonjour la politesse… répondit la domestique, avec un sourire.

Mary demeura interdite face à cette effronterie.

— Appelez-moi donc Martha. Vous, à ce qu'il paraît, vous êtes Mary.

La jeune femme déposa son plateau sur la table de chevet puis se dirigea vers la cheminée.

Mary n'en revenait pas. Aux Indes, les domestiques parlaient uniquement quand on leur adressait la parole. Ils lui répondaient si elle leur posait une question ; le reste du temps, ils se contentaient de s'incliner devant elle en gardant le silence.

Martha ratissait les cendres.

— Il fait frisquet, ce matin, vous ne trouvez pas ? reprit-elle en couvrant les cendres de papier. Mais le printemps arrive. C'est ce que dit mon frère Dickon. Il passe sa vie dans la lande et s'y entend mieux que personne pour tout ce qui concerne la nature et les bêtes.

Mary fronça les sourcils. Elle n'était pas sûre de bien apprécier cette servante si bavarde.

— J'ai eu froid, cette nuit, déclara-t-elle sur un ton accusateur. Personne n'a entendu quand j'ai appelé.

— Sans doute parce qu'on était tous au lit. Vous trouverez une couverture supplémentaire sous le vôtre, si vous avez encore froid cette nuit.

— J'ai entendu des bruits, aussi. Des gémissements, des cris.

— Faux, rétorqua Martha en chargeant du charbon dans l'âtre. Vous avez entendu *le vent*, voilà tout. Il souffle fort, au manoir.

Mary réfléchit. Martha n'avait peut-être pas tort, elle avait fort bien pu s'effrayer d'un rien. Pour ne pas perdre la face, elle changea de sujet.

— En tout cas, j'ai appelé, et personne n'est venu. Vous devriez dormir à ma porte. Comme mon ayah. Elle, elle venait toujours quand je l'appelais.

À sa grande stupeur, Martha haussa les sourcils.

— Ça ! j'ignore qui est cette Ayah, mais elle n'habite pas ici, pas vrai ? (Elle raviva le feu.) Et il est hors de question que je dorme à votre porte – ni ce soir ni jamais. Je dormirai dans mon lit, merci bien.

— Mais vous n'êtes pas ma servante ? s'étonna Mary.

— Votre servante ? répéta Martha, avec un sourire incrédule. Non, ma petite. Je viens juste m'assurer que le feu brûle, que votre chambre est en ordre et que vous n'avez pas le ventre creux. Rien de plus. J'ai une foule de tâches qui m'attendent dans le manoir. Maintenant, mangez votre porridge. Il va refroidir.

Mary inspecta le porridge. Une bouillie grumeleuse, couverte d'une fine pellicule. Rien de bien appétissant, en somme.

— Je ne mange pas de porridge, décréta-t-elle en levant le menton. Au petit déjeuner, je prends du bacon et des œufs.

Elle s'attendait à ce que Martha reprenne le plateau et s'en retourne en cuisine. Or la jeune femme n'en fit rien, et continua de sourire.

— Moi aussi, j'aime bien le bacon et les œufs. Mais aujourd'hui, c'est porridge. Allons, allons, c'est l'heure de s'habiller.

Joignant le geste à la parole, elle ouvrit l'armoire. Mary découvrit qu'elle était remplie d'affaires prévues pour elle. Martha lui tendit une robe, des sous-vêtements, une paire de bas et un cardigan.

— Vous voudriez que je m'habille seule ? s'étouffa Mary. Vous n'êtes pas venue pour cela ?

Son ayah l'habillait tous les jours, aux Indes.

— Pour vous habiller ? répéta Martha. Quelle idée ? Vous avez des mains et des bras, non ? (Elle secoua la tête.) Grands dieux ! ma mère disait toujours qu'elle ne comprenait pas que les enfants des riches soient si empotés. À toujours se faire aider pour se laver, s'habiller, à attendre qu'on les sorte comme des petits chiots… (Elle gloussa.) Moi, je comprends, maintenant !

Ce fut la goutte d'eau qui fit déborder le vase. Mary tapa du pied, serra les poings. Une domestique osait se moquer d'elle ?

Surprise, Martha recula. Après un long silence, la jeune femme secoua la tête.

— Et moi qui me faisais une joie d'avoir une petiote au manoir, dit-elle avec regret tout en sortant de la chambre.

Mary la suivit du regard. La domestique semblait peinée. « Je ne comprends pas », s'interrogeait Mary. Elle se gratta le front. Tout était si différent, en Angleterre.

Elle inspecta les habits qu'elle avait sur les bras. Puisque les enfants s'habillaient seuls dans ce pays, elle allait s'habiller seule. Elle comptait bien ne plus donner à cette Martha l'occasion de rire d'elle. Le menton dressé de détermination, elle parvint d'abord à se dévêtir, puis à enfiler le cardigan, la culotte bouffante et les bas de laine. Elle passa ensuite la robe par-dessus. Il s'agissait d'un vieux modèle qui s'arrêtait aux genoux, ample, avec tablier et manches longues. Mais elle s'en moquait. Les habits n'étaient jamais que des habits, et cette robe au moins était facile à enfiler.

Une fois vêtue, Mary prit quelques cuillerées de porridge. Il était froid et figé ; elle regrettait de ne pas l'avoir mangé quand il était encore chaud. Elle promena son regard dans la chambre. Que faire ? Ses yeux se posèrent sur le grand cheval à bascule.

Il était vieux, certes, mais superbe, avec une selle, une bride en cuir et un pelage gris pommelé. Le cheval avait en outre de grands yeux foncés, une crinière et une queue longues et fournies, en crin véritable. Mary se demanda à qui il avait pu appartenir. Puis elle grimpa sur son dos. Les rênes en main, elle entreprit de se balancer, d'abord lentement, puis de plus en plus fort. Ce faisant, elle ferma les yeux, et son imagination, endormie jusque-là tel un bulbe dans un sol d'hiver, surgit comme une jeune pousse. Quelques précieuses minutes durant, Mary oublia tout ce qu'elle détestait de sa nouvelle vie et se laissa transporter par sa rêverie. Elle n'était plus Mary Lennox, la petite orpheline des Indes dont personne ne voulait, que personne n'aimait. Elle était la belle Sita qui échappait aux griffes d'un démon maléfique, sur le dos d'un cheval ailé qui s'élevait dans le ciel bleu éclatant des Indes…

CHAPITRE CINQ

À la découverte de Misselthwaite

Quand Mary en eut fini avec le cheval, elle s'intéressa au coffre à jouets. À l'intérieur se trouvaient bien entendu de très vieux jouets. La plupart ne l'intéressèrent pas – une boîte de soldats en plomb dont la peinture s'écaillait, une toupie et un diable à ressort. Toutefois, elle mit la main sur une corde à sauter avec poignées en bois. Elle s'y essaya dans sa chambre, mais comprit très vite qu'il lui faudrait plus de place.

« Je pourrais aller m'exercer dans le jardin », songea-t-elle. Cependant, pour sortir il fallait traverser le manoir.

Son regard se tourna vers la porte. Or Mme Medlock le lui avait défendu. Mais… pourquoi ? « Je ne suis pas prisonnière, se rebella Mary. Nous sommes chez mon oncle. Je suis sûre qu'il n'escompte pas que je garde la chambre en permanence. »

Sur ce, elle fourra la corde à sauter dans la grande poche de son tablier puis s'engagea dans le couloir. Sans trop savoir où elle allait. Le tout était de montrer à Mme Medlock qu'elle ne se laisserait pas mener par le bout du nez.

Une lumière pâle filtrait par les fenêtres, éclairait les lattes nues du sol ainsi que les tableaux accrochés aux murs. Mary observa l'arrière du manoir par une fenêtre. Elle s'attendait à découvrir des jardins soignés… quelle ne fut pas sa surprise de n'apercevoir qu'une gigantesque mare de boue striée d'ornières ! Sans doute le site où s'étaient installés les soldats qui avaient réquisitionné la propriété pendant la guerre.

D'autres paroles de Mme Medlock lui revinrent en mémoire : « Le manoir n'est plus ce qu'il était… » Et une grande peine l'envahit. Misselthwaite semblait avoir été entretenu jadis, mais aujourd'hui il tombait en ruine.

Mary arriva bientôt devant une grande porte ouverte qui donnait sur une pièce haute de plafond, au plancher ciré, et aux murs recouverts d'étagères garnies de livres. L'ancienne bibliothèque, probablement. Hélas ! un bric-à-brac de chaises, de tables et de cartons remplis d'animaux empaillés s'y entassait à présent. Mary se fondit dans l'ombre du couloir quand elle avisa son oncle et Mme Medlock près d'une pile de tableaux, au fond de la pièce. Leur conversation était très animée.

— Je vous assure, madame Medlock, disait l'oncle de Mary, ces choses-là n'ont aucune importance.

— On ne peut tout de même pas les laisser en tas comme ça, protesta la gouvernante.

— Dans ce cas, débarrassez-vous-en. Jetez-les. Brûlez-les. Je m'en fiche !

— Mais enfin, monsieur, insista Mme Medlock en désignant un portrait de femme. Même celui-ci ?

Mary vit un muscle de la joue de son oncle tressaillir.

— De grâce, dit-il tout bas. Inutile de la rappeler à mon souvenir. Elle n'est plus.

Craignant qu'il ne sorte et ne la découvre, Mary s'éclipsa. Elle avait hâte de sentir l'air frais sur son visage, de quitter cette maison lugubre peuplée d'êtres méchants, impolis et farfelus. Une allée boisée conduisait à la lande brumeuse – Mary s'y engagea. Le sol, bien qu'envahi par les herbes, était plat. La petite fille récupéra sa corde à sauter et se mit à suivre le chemin en sautillant et en comptant à voix haute.

Elle venait d'atteindre soixante-quinze et de déboucher sur la lande, lorsqu'elle s'arrêta. Dans les volutes de brume, elle distinguait un garçon. Il devait avoir un an de plus qu'elle et avait les cheveux bruns bouclés. Il transportait un agneau sur ses épaules. Mary se rappela que Martha lui avait parlé de son frère. Ce garçon était-il le fameux Dickon ?

Elle se dirigea vers lui.

— Ohé ! l'interpella-t-elle. Es-tu le frère de Martha ?

Mais elle n'avait pas achevé sa phrase que le garçon tourna les talons et disparut dans la brume.

— Reviens ! lui ordonna Mary.

Elle voulut lui courir après, mais il s'était volatilisé, et la brume s'était encore épaissie.

— Tu veilleras bien à ne pas sortir dans le brouillard, murmura Mary en écho aux paroles de Mme Medlock.

Un dernier regard en direction de l'endroit où elle avait vu le garçon, et elle rentra au manoir.

❋

Lorsqu'elle franchit le seuil de Misselthwaite, son ventre gargouillait. Elle avait à peine touché à son porridge, le matin, et était affamée. Elle parvint à trouver la cuisine, où la cuisinière épluchait des légumes.

— C'est l'heure de mon déjeuner, il me semble, déclara Mary. J'aimerais que vous…

La cuisinière la fit taire d'un sourire jovial.

— Ce que tu aimes est sans importance, ma petiote. Ici, tu manges ce qu'on te donne.

Renfrognée, Mary répliqua :

— Je ne vous comprends vraiment pas, vous autres !

La cuisinière partit d'un rire qui n'avait rien de moqueur, et Mary la regarda confectionner des sandwichs avec de grosses tranches de pain blanc, une couche de beurre et une espèce de viande rose. Sandwichs qu'elle enveloppa dans un torchon et qu'elle lui remit, avec une pomme.

— Voilà pour toi. Et maintenant, ouste ! J'ai trop à faire pour en plus avoir une petiote comme toi dans mes pattes. Il faut bien qu'il y en ait qui travaillent, et aussi : je suis Mme Pitcher, ajouta-t-elle avec un clin d'œil.

Mary alla s'asseoir sur un tronc d'arbre abattu et déballa son déjeuner. Elle souleva une tranche de pain. Que pouvait bien être cette drôle de viande lisse et rose ? Elle n'en avait jamais vu de pareille. Elle en saisit une tranche et la huma, sur ses gardes. Puis elle la lécha et fit aussitôt la moue. Quelle horreur ! Était-ce seulement de la viande ?

Elle jeta la tranche qui, hélas ! atterrit pour ainsi dire à ses pieds. Elle envoya plus loin la suivante, qui finit sa course entre deux arbres. Mary grignota alors un peu de pain. Lequel au moins était frais et goûteux. Elle en mordit un plus gros morceau.

Un bruissement attira soudain son attention. Les branches d'un buisson bougeaient comme si une bête s'y faufilait. Mary se recroquevillait sur elle-même quand un chien apparut : d'abord sa truffe, puis son museau, enfin son corps au poil marron hirsute.

— Non ! Va-t'en ! Du balai ! s'exclama la petite fille en joignant le geste à la parole.

Aux Indes, tous les chiens ou presque étaient des animaux errants – et dangereux, la plupart du temps.

Le chien l'ignora et alla renifler la tranche de viande tombée près des arbres.

— Non ! s'indigna Mary. Ce n'est pas pour toi. (Le chien goba tout de même l'« offrande ».) Bon, te voilà rassasié ? File, maintenant !

Mary ajusta sa position, au cas où il lui faudrait bondir brusquement.

— Du vent ! insista-t-elle.

Mais le chien avait repéré l'autre tranche, près d'elle.

— Oh, non ! supplia Mary. Je t'interdis. N'avance plus. Va-t'en !

Elle glapit quand l'animal se jeta sur la viande. Il l'engloutit et décampa aussitôt. Mary le suivit du regard. Ce chien lui avait semblé être aussi effrayé qu'elle. Et il était manifestement tout aussi affamé.

Son pain et sa pomme avalés, Mary s'aventura derrière la maison, où elle passa l'après-midi à explorer le jardin. Loin de l'endroit où avaient campé les soldats, il y avait des arbres et des fougères, des massifs d'arbustes à l'abandon, entre lesquels sinuaient des allées de gravier. Mary eut bientôt ses bottines toutes crottées et ses habits trempés. De temps en temps, elle percevait un léger bruissement derrière elle. Elle avait la sensation d'être suivie, si bien qu'elle finit par jeter un coup d'œil par-dessus son épaule… et aperçut le chien.

— Oh, ce gros bêta ! dit-elle en souriant à l'animal qui l'observait, sa langue rose pendante. Tu me suivais ?

Le chien remua la queue.

— Mary !

Mme Medlock agitait une cloche et appelait vivement la fillette d'une fenêtre ouverte. Sa voix portait loin.

— Mary ! Où es-tu ? Rentre immédiatement !

Le chien disparut sitôt qu'il entendit la gouvernante.

Mary, elle, poussa un soupir et regagna le manoir. Mme Medlock avait l'air fâchée.

— Je t'ai cherchée partout, s'indigna-t-elle. À l'avenir, sache que ton bain sera prêt à dix-sept heures vingt-cinq, heure à laquelle tu devras te trouver dans ta chambre. Et maintenant, monte !

Ces mots dits, la dame précéda la petite fille dans l'escalier.

— Avez-vous un problème de chiens sauvages, au manoir ? demanda, curieuse, Mary en s'élançant après elle.

— Des chiens sauvages ! ricana Mme Medlock. Quelle drôle d'idée…

Dès que Mary eut franchi le seuil de sa chambre, la porte se referma derrière elle. Après les grands espaces et le grand air, cette pièce lui faisait plus que jamais l'effet d'une prison. Elle effleura les oiseaux du papier peint. Elle les imaginait voletant, l'entraînant dans un nuage de plumes vers une destination lointaine.

Un souvenir refit surface. Des oiseaux qui fondaient sur le jardin de sa villa, aux Indes. Mary était alors toute petite – elle devait avoir quatre ans. Elle avait accouru à leur apparition. Les oiseaux s'étaient enfuis, bien sûr, mais, un court instant, ils l'avaient entourée dans un tourbillon de couleurs vives. L'enfant avait ri, tout à son ravissement, et tourné sur elle-même, les bras levés – jusqu'à ce qu'un grand bruit l'interrompe. C'était sa mère qui, en larmes, claquait les volets de sa fenêtre, pour mieux se couper de Mary et de son rire. L'enfant se rappelait maintenant la confusion qu'elle avait éprouvée alors. Sa mère n'aimait-elle pas la savoir heureuse ?

Elle revint au présent. Sa vie aux Indes lui semblait déjà fort lointaine, mais le souvenir de l'attitude de sa mère ce jour-là – et de tous les autres jours gravés dans sa mémoire – ne s'effacerait sans doute jamais.

CHAPITRE SIX

De nouveaux amis

Cette nuit-là, Mary fut encore réveillée par les cris perçants. Elle tendit l'oreille, ouvrit grand les yeux dans le noir. Était-ce le vent, comme l'avait prétendu Martha ? Ou bien le fantôme d'un des soldats morts ici ? Mary se rappela la peur qui l'avait envahie la veille. Elle remonta la courtepointe sur sa tête et resta au lit.

Le lendemain matin, au réveil, Mary découvrit Martha à genoux devant l'âtre, en train de recouvrir les cendres de papier. Un bol de porridge l'attendait sur la table.

— Bonjour, Martha, prononça-t-elle.

— Mademoiselle, lui répondit Martha d'une voix glaciale.

Mary se rappela les bruits nocturnes et demanda :

— Étiez-vous là à l'époque des soldats, Martha ? Travailliez-vous à l'hôpital ?

Martha continua de s'occuper du feu, sans répondre.

Mary devina qu'elle lui en voulait encore. Comment retrouver la gentille Martha de la veille ? La fillette descendit de son lit et alla s'agenouiller près d'elle.

— Y a-t-il un ordre à respecter pour faire du feu ? la questionna-t-elle.

— Oui, mademoiselle, répondit Martha sans la regarder.

La domestique versa du charbon sur la couche de papier.

Mary saisit un boulet de charbon. Ses doigts se noircirent en même temps que des particules tombaient sur le tapis.

— Allons, mademoiselle, pas de cela ! s'exaspéra Martha. Vous allez salir le tapis et votre robe, et c'est moi qui devrai les nettoyer.

Mary soupira. Ce n'était manifestement pas en l'aidant qu'elle allait regagner les faveurs de Martha. Elle y renonça donc, se cala sur ses talons et changea de sujet.

— Dites, Martha… Les bruits que j'entends la nuit… Le manoir est-il hanté par les soldats morts ?

Durant un instant, Mary lut de l'inquiétude dans les yeux de la servante.

— J'ignore à quoi vous faites allusion, affirma celle-ci. Si vous entendez des bruits, recouchez-vous et essayez de vous rendormir. C'est le mieux.

Martha ne lui disait pas tout ce qu'elle savait, Mary en était certaine. Elle regarda la jeune femme rallumer le feu en silence puis se diriger vers la porte sans ajouter un mot.

La colère et le chagrin s'emparèrent de Mary à l'idée de se retrouver de nouveau seule.

— Je n'ai pas demandé à venir vivre ici, vous savez ! explosa-t-elle.

Martha se retourna vers elle.

— Et M. Craven n'a pas demandé à vous accueillir, pourtant il s'y est plié, déclara-t-elle d'une voix posée mais ferme.

Après quoi elle sortit et referma la porte derrière elle.

Mary tapa du pied. La seule personne qui aurait pu lui parler dans cette lugubre demeure n'en avait apparemment plus envie. Elle scruta la porte fermée – elle ne s'était jamais sentie aussi seule.

❋

Ce matin-là, Mary chaussa ses bottines, passa un manteau bleu bien chaud, se coiffa d'un bonnet assorti et se munit d'une sacoche en cuir, pour aller rendre une nouvelle visite à la cuisinière.

— Madame Pitcher, lui dit-elle, je voudrais la même viande qu'hier dans mes sandwichs. S'il vous plaît ? ajouta-t-elle après un moment d'hésitation en se rappelant les bonnes manières.

Mme Pitcher lui renvoya un regard étonné, puis hocha la tête et saisit une miche de pain.

— Qu'est-ce que c'est ? reprit la fillette, en observant la cuisinière.

— Du spam[1], répondit cette dernière.

— Du *spam* ? répéta Mary, qui ne connaissait pas le mot.

— Oui, gloussa la cuisinière, du spam. Et maintenant, file, ouste ! ajouta-t-elle en lui tendant les sandwichs.

Mary les fourra dans sa sacoche en cuir puis sortit. Elle avait un plan ! Personne dans cette maison ne semblait vouloir être son ami, mais son petit doigt lui disait qu'elle trouverait quelqu'un au jardin qui ne serait pas contre. Elle aurait préféré explorer le dernier étage du manoir, élucider le mystère des cris nocturnes. Le drôle de regard que lui avait adressé Martha quand elle avait évoqué le phénomène, ce matin-là, l'avait convaincue qu'on lui cachait des choses, et elle était bien déterminée à connaître le fin mot de l'histoire. Pour autant, elle n'osait se risquer à explorer Misselthwaite, de crainte que Mme Medlock ne la surprenne à *fureter*. Elle ne savait trop comment la gouvernante réagirait, mais elle ne tenait pas à l'apprendre.

« Je vais attendre la nuit, songea-t-elle. Quand tout le monde dormira. »

Pour tuer le temps, elle allait se consacrer à autre chose. Elle retrouva bien vite l'arbre abattu sur lequel elle avait déjeuné. D'humeur audacieuse, elle déballa un sandwich et en retira le spam, qu'elle plaça au même endroit que la veille.

---

1. Spam : marque commerciale de jambon en boîte de conserve.

Elle promena ensuite un regard plein d'espoir alentour, avant de retourner s'asseoir sur le tronc et d'attendre. Où donc était le chien ? Mary était certaine qu'il allait revenir – un chien comme ami valait mieux que pas d'ami du tout.

Elle attendit, attendit encore.

— Allons, chuchota-t-elle. Viens, je t'en supplie.

C'est alors que retentit un aboiement et qu'elle aperçut le chien marron au milieu des buissons.

— Te voilà ! se réjouit-elle, un grand sourire aux lèvres.

L'animal dévora le spam sans la quitter des yeux.

— Bonjour, essaya encore Mary.

C'était une sensation étrange : elle n'avait encore jamais cherché à sympathiser avec un chien. Elle décida toutefois que cet animal avait le regard plus vif que bien des humains qu'elle avait pu rencontrer.

— Comment t'appelles-tu ?

L'animal émit un bref aboiement.

— Es-tu malade ? s'inquiéta Mary.

Aux Indes, certains chiens étaient atteints de la rage, une maladie grave. Ils aboyaient, la gueule écumante, et mordaient les gens. Celui-ci n'avait cependant pas l'air dangereux.

— Eh bien ? insista la fillette.

Le chien aboya de nouveau.

— J'ignore si c'est un oui ou un non, explicita Mary. Soit. Je vais commencer par une question plus simple : es-tu une fille ou un garçon ?

L'animal geignit, inclina la tête sur le côté.

— Ah, non ! fit Mary, qui venait de comprendre la demande. Je garde l'autre tranche pour plus tard. Nous allons d'abord jouer. Cela te plairait-il ?

Le chien remua un peu la queue. Mary sourit.

— Je crois que tu es une fille, déclara-t-elle. Et je vais t'appeler… Jemima ! Viens, Jemima, allons jouer !

Et Mary s'élança au petit trot. La chienne hésita un instant avant de lui emboîter le pas.

C'était la première fois que Mary courait en extérieur depuis son arrivée à Misselthwaite. Elle se précipita sur le chemin boueux. La chienne bondit derrière elle, la doubla puis l'entraîna entre les arbres, au gré de sentiers sinueux. Mary força l'allure pour ne pas être distancée, elle haletait. Quel plaisir d'être avec quelqu'un qui voulait d'elle ! L'eau giclait des flaques et, pour la première fois depuis une éternité, elle se sentait vraiment vivante. Un rire lui échappa. La chienne aboya, et Mary aboya en retour. L'animal se mit à alors à danser autour d'elle, en aboyant trois fois. Mary l'imita, tournoya sur elle-même, le visage tourné vers le ciel.

La chienne fila ensuite derrière un mur très haut, presque entièrement dissimulé par un épais rideau de lierre. Mary s'arrêta, surprise, puis courut à l'endroit où elle avait vu disparaître sa compagne. Au pied du mur, elle repéra un petit trou : la chienne avait dû creuser ce passage.

— Jemima ? appela Mary.

Aucune réponse. La petite se désolait déjà d'avoir perdu son amie. Elle s'apprêtait à rentrer quand tout à coup la tête de la chienne reparut. Elle aboyait comme pour l'encourager à la suivre.

— Ce trou est bien trop étroit pour moi, Jemima, lui dit Mary avec un sourire. Est-ce là que tu vis ?

L'animal gémit.

Mary releva la tête. Un arbre flanquait le mur. « Il suffirait que je grimpe… » se dit-elle.

Hélas ! une cloche tinta au loin, et la voix de Mme Medlock retentit faiblement.

— Mary ! Mary !

— Zut !, râla l'intéressée.

Les cris de la gouvernante et les tintements de cloche se firent plus pressants.

Mary poussa un soupir puis se tourna vers la chienne.

— À demain, promit-elle en déposant le reste de son sandwich par terre. À demain, Jemima. Sois au rendez-vous, surtout.

La chienne aboya une dernière fois, Mary lui sourit tout en s'éloignant. Et c'est le cœur bien plus léger qu'elle regagna le manoir. Elle venait enfin de se faire une amie, à Misselthwaite.

CHAPITRE SEPT

Colin

Mary gravit les marches du grand escalier le plus vite et le plus discrètement possible, dans les froufrous du coton de sa robe. Le vent soufflait fort, ce soir-là, et la lune constituait l'unique source de lumière du manoir. Le cœur de Mary s'emballait, mais elle tenait à tout prix à élucider le mystère des sanglots de la nuit.

Parvenue au second étage, elle s'engagea dans un couloir obscur, aux murs décorés de tableaux, et flanqué de portes fermées. Elle y progressait à tâtons, quand une bouffée de vent s'engouffra par une vitre fêlée et souleva le drap tendu par-dessus le tableau devant lequel la petite fille passait. Celle-ci aperçut la peinture et se figea. Un portrait de sa mère ! Mary écarta le drap et contempla l'œuvre. Sa mère devait avoir dix-huit ans sur cette peinture. Assise à un piano, elle souriait ; ses cheveux foncés retombaient en vagues sur ses épaules. Mary battit des cils, interloquée. Dans tous ses souvenirs, sa mère plissait le front et se détournait d'elle.

Mary dévoila le tableau voisin. Un autre portrait de sa mère, un peu plus âgée. Elle posait sur une balançoire, dans une clairière, vêtue d'une robe blanche ; à côté d'elle, une autre jeune femme de son âge, en robe bleue. Mary éprouva une sensation de déjà-vu. Il lui semblait presque connaître cette clairière – mais comme elle se situait manifestement en Angleterre, c'était impossible.

Intriguée, elle observa l'autre personnage. Une jeune femme fort semblable à sa mère, mais un peu plus grande et aux cheveux plus foncés, comme ceux de Mary. Mary devina qu'il s'agissait de la sœur jumelle de sa mère, Grace, la défunte épouse de son oncle. Sans être des jumelles parfaitement identiques, les deux sœurs se ressemblaient à s'y méprendre.

Mary reprit ensuite son chemin et déboucha dans un autre couloir, au mur duquel figurait une grande fresque. Elle découvrit une chambre à coucher dont la porte était ouverte. Qui l'occupait ? Curieuse, elle s'avança. Et ses yeux s'écarquillèrent lorsqu'elle aperçu un garçon d'environ son âge, aux cheveux bruns, endormi dans un lit superbe.

L'adolescent ouvrit brusquement les yeux. Mary se camoufla dans l'ombre du couloir.

— Je t'ai vue ! lança le garçon.

Mary se mit à réfléchir. Qui était-ce ? Sûrement pas un domestique : la chambre était bien trop somptueuse. Plus grande et autrement mieux décorée que la sienne.

— Je ne sais pas qui tu es, mais je suis sûr que si je dis avoir vu une petite servante fouineuse, ils sauront tout de suite de qui je parle, et tu auras de sérieux ennuis !

« Une petite servante ? » Peu importe qui était ce garçon, Mary n'allait pas se laisser traiter de servante. Elle pénétra dans la chambre, bien décidée à rétablir la vérité. Un lit en bois massif trônait là, flanqué de tables de chevet ; plus loin, un lutrin, une table et des chaises. Le garçon portait un gilet et s'adossait à des oreillers. Il semblait être un tout petit peu plus âgé que Mary. Ses cheveux retombaient sur son front, et il avait le teint très pâle, comme s'il n'avait pas vu le soleil depuis bien longtemps. Mais ce furent ses yeux foncés qui attirèrent le plus l'attention de Mary. Ils ne ressemblaient pas à des yeux d'enfant – trop profonds, trop méfiants.

— Je ne suis pas une servante ! s'indigna Mary. Mon nom est Mary Lennox. Ma mère était la sœur jumelle de la maîtresse de cette maison, dont mon oncle par alliance demeure le propriétaire, alors tu ferais bien de m'accorder le respect qui m'est dû !

— Du respect, je ne t'en accorderai pas ! répliqua le garçon avec autant de mépris qu'elle. Je suis Colin Craven.

L'oncle dont tu parles est mon père et, si Dieu me prête vie, cette demeure me reviendra un jour.

Ces paroles firent un choc à Mary. Elle s'était attendue à tout, sauf à cela.

— Nous sommes… *cousins* ? prononça-t-elle sans trop y croire.

Le garçon la regarda intensément, puis un demi-sourire étira ses lèvres, et il acquiesça sèchement.

— Mais je n'avais jamais entendu parler de toi ! s'étonna encore Mary.

— Ni moi de toi, avoua le garçon.

Mary avait le sentiment que son cousin partageait sa surprise, mais qu'il s'efforçait de réagir en adulte et de la dissimuler.

— Tu es bien maigre, jugea-t-il.

— Et toi, très pâle, rétorqua Mary.

— Ton sourire ne montre pas tes dents.

— Toi, tu ne souris même pas !

— Que fais-tu ici ?

— Rien n'interdit ma présence.

Colin prit son air le plus digne pour affirmer :

— Je ne veux pas d'amis.

— Parfait, répondit Mary en haussant les épaules. J'en ai déjà autant que je veux.

Elle inspira à fond et ne put contenir un rire. Ce nouveau cousin semblait certes excentrique et très irritable, mais quel bonheur de parler à quelqu'un de son âge !

Colin esquissa un bref sourire – à l'évidence, il appréciait leur échange autant qu'elle.

— C'est donc toi qui cries la nuit ? reprit Mary qui s'approcha du lit. J'ai cru qu'il s'agissait d'un fantôme, que cette demeure était maudite…

— Maudite ?

— Oui, à cause de tous les soldats qui y sont morts.

— Non, assura Colin en secouant la tête. Ce manoir est bien maudit, mais pas à cause des soldats. Cela date d'avant la guerre. Les gens prétendent que la demeure a tué ma mère, et qu'elle cherche à présent à me tuer.

— Moi aussi, ma mère est morte.

Le secret honteux qu'elle gardait en elle, ce secret auquel elle refusait même de songer, ce secret, donc, lui échappa soudain.

— Je l'ai tuée !

Mary savait qu'elle n'inventait rien. Elle avait souhaité la mort de sa mère et ce souhait avait été exaucé. Elle guettait maintenant la réaction de Colin.

Celui-ci l'observait d'un air dubitatif.

— Tu l'as tuée ? Vraiment ?

Mary hocha la tête.

Colin soupira puis reprit d'une voix étrangement adulte :

— Dans ce cas, nous sommes tous deux frappés par la tragédie, on dirait.

Soulagée que son cousin ne la juge pas, ni ne la condamne, Mary s'avança encore.

— Que veux-tu dire, lorsque tu prétends que cette demeure cherche à te tuer ? relança-t-elle.

Le visage de Colin se ferma brusquement.

— Je ne tiens pas à en parler, trancha-t-il en se détournant. Laisse-moi, maintenant.

Mary ne comprit rien à ce revirement soudain. Mais si cet étrange cousin s'attendait à ce qu'elle le supplie de l'autoriser à rester auprès de lui, il se fourvoyait. Elle redressa le menton, prononça « fort bien », puis tourna les talons.

Elle jeta un coup d'œil par-dessus son épaule et ajouta d'un ton désinvolte :

— Je suppose que tu me reverras. Ou pas.

— Mais... commença Colin.

— Bonne nuit, le coupa Mary en quittant sa chambre.

Du couloir, elle entendit son cousin s'indigner :

— Reviens !

Elle sourit toute seule. C'est bien ce qu'il lui avait semblé : il n'avait pas réellement voulu la congédier. Soit. Voilà qui lui apprendrait à lui donner des ordres. S'il voulait qu'ils soient amis, il allait devoir changer d'attitude. « Amis ! » À cette seule pensée, Mary regagna sa chambre d'un pas plus léger.

✳

Cette nuit-là encore, elle rêva des Indes. Cette fois, elle gloussait tandis que son père la pourchassait en jouant au tigre.

— Je vais t'attraper ! gronda-t-il. Où es-tu, petit singe ?

L'enfant se réfugia dans la chambre de sa mère. Celle-ci ne s'y trouvait pas. Où se cacher… ? Elle ouvrit la penderie, mais il y avait là trop de belles toilettes. Elle regarda sous le lit – non, pas assez de place. Alors elle se glissa sous les couvertures et resta le plus immobile possible.

Elle entendit la porte s'ouvrir. Son corps tout entier se raidit de plaisir. Papa allait la découvrir ! Des pas se rapprochèrent du lit, les draps se soulevèrent. Mary s'apprêtait déjà à jaillir comme un diable de sa boîte… hélas ! ce n'était pas son père qui la scrutait, mais sa mère. Et son regard était d'une dureté glaciale. Mary descendit du lit et s'enfuit…

❋

Mary s'éveilla lorsque Martha la secoua par l'épaule.

— Debout, petite !

La fillette s'assit, les cheveux en bataille. Lorsqu'elle ouvrit les yeux, les événements de la nuit lui revinrent, mais elle n'eut pas le temps d'interroger Martha sur ce cousin dont personne ne lui avait parlé : la domestique lui tendait une robe neuve – un modèle bleu marine rehaussé de broderies. La plus belle de sa garde-robe.

— Pas une minute à perdre, indiqua Martha. Le maître vous demande.

Mary s'étira, se leva lentement. Martha l'aida à s'habiller.

— Mangez donc votre porridge avant que Mme Medlock n'arrive.

Mary se contenta de touiller la mixture tandis que Martha repliait ses vêtements de nuit.

— Plus vite, petiote, pressa la domestique en s'emparant d'une brosse. Je suis sûre que vous pouvez manger plus vite que ça. Comme dirait ma mère, vous « lambinez ».

La fillette accéléra un peu le mouvement, tandis que Martha la coiffait.

— J'ai décidé qu'elle me plaisait bien, votre mère, déclara Mary.

— Vous ne l'avez jamais rencontrée, s'exaspéra Martha. Allons, mangez.

Mary prit quelques cuillerées supplémentaires.

— J'ai également décidé que j'appréciais votre frère, Dickon. (Elle revit en pensée le garçon aperçu dans la brume.) Et lui, oui, je l'ai rencontré. Du moins, j'allais le faire, quand il s'est enfui. Mais j'aimerais faire sa connaissance, ajouta-t-elle dans un soupir pathétique. Je suppose toutefois qu'il ne m'aimera pas. Personne ne m'aime. Enfin, presque personne.

Elle songeait à Colin. Elle décida de garder encore un peu le secret, au moins le temps de découvrir pourquoi personne dans ce manoir ne lui avait parlé de lui.

— Vous prétendez que personne ne vous aime, mais est-ce que vous vous aimez seulement vous-même ? lui rétorqua Martha.

Mary fronça les sourcils.

— Qu'entendez-vous par là ?

La domestique posa sa brosse et s'expliqua :

— C'est une chose que ma mère m'a dite un jour que j'étais de mauvaise humeur. Elle s'est tournée vers moi et m'a dit : « Tu es là à te plaindre que tu n'aimes pas ci et que tu n'aimes pas ça, mais est-ce que tu t'aimes comme tu es là, ma petiote ? »

La porte de la chambre s'ouvrit tout à coup et Mme Medlock fit son entrée. Mary nota que Martha ouvrait de grands yeux apeurés.

— Désolée d'interrompre cette charmante discussion, lança la gouvernante en gratifiant Martha de son regard le plus méprisant, on nous attend.

— Madame Medlock, je suis confuse, bredouilla Martha. Je…

— Ce n'est pas sa faute, l'interrompit Mary pour lui épargner d'aggraver son cas. Je traînais, et Martha me le reprochait à juste titre.

La jeune servante lui adressa un regard empreint de surprise et de gratitude.

Mme Medlock afficha une moue amère et conclut :

— Peu importe qui est fautif. Tu es en retard, voilà tout. Suis-moi, mon enfant. (Elle se dirigeait déjà vers la porte.) Le maître attend.

CHAPITRE HUIT

M. Craven

— Quand le maître t'adressera la parole, tu lui répondras toujours en disant « monsieur », est-ce compris ? demanda Mme Medlock.

— Oui, madame Medlock, assura Mary en s'efforçant de ne pas se laisser distancer dans le couloir.

La gouvernante s'arrêta devant une lourde porte en bois et ajouta :

— Surtout, ne l'agace pas. Il a déjà assez de soucis comme ça. Et ne le scrute jamais avec insistance.

Sur ce, Mme Medlock toqua à la porte, et une clochette retentit de l'autre côté du battant. La gouvernante adressa un dernier regard à Mary en guise d'avertissement, puis elle ouvrit la porte du bureau.

La petite fille y pénétra d'un pas déterminé. L'atmosphère était lugubre dans cette grande pièce obscure. D'épais rideaux en partie tirés bloquaient le jour. Une immense table de travail éclairée par une lampe trônait à un bout de la salle. Derrière, le mur était entièrement recouvert de photographies et de vitrines renfermant des animaux empaillés. L'oncle de Mary était assis à son bureau.

— Approche, mon enfant, lui ordonna-t-il, dans la lumière, que je te voie.

Mary s'exécuta, fascinée par la bosse de cet homme. Elle détourna bien vite le regard, et remarqua une photographie encadrée sur la table. Un portrait de sa tante Grace et de Colin bébé. Son oncle repéra ce qui l'intéressait et se hâta de retourner le cadre.

— Mme Medlock considère que tu nous encombres, déclara l'homme d'une voix bourrue. Elle souhaiterait que je t'envoie en pension.

Mary n'avait jamais fréquenté de pensionnat, mais la simple idée d'être entourée d'enfants jour et nuit l'horrifiait.

— Je n'y tiens pas, monsieur, répondit-elle sans trembler. Je me plais au manoir.

Son oncle l'étudia avant de décider :

— Dans ce cas, nous allons te trouver une préceptrice.

— Non, je n'ai que faire d'une préceptrice, répliqua très vite Mary. J'ai déjà trop de choses à apprendre à Misselthwaite… *monsieur*, ajouta-t-elle.

L'oncle fronça les sourcils.

— Cette demeure n'a rien à apprendre à une enfant.

— Mais je veux jouer dehors et explorer les terres. Aux Indes, il faisait trop chaud pour cela.

L'homme tapota son bureau du bout de son stylo.

— Mary, reprit-il ensuite, la loi m'oblige à te dispenser une instruction.

— Nous allons donc devoir enfreindre la loi, qu'en pensez-vous ?

L'oncle releva légèrement les sourcils quand leurs regards se croisèrent.

— Mme Medlock prétend voir Alice – ta mère – en toi.

— Aimait-elle ma mère ? Elle ne semble guère m'apprécier, en tout cas.

Le maître des lieux ne répondit pas. Au lieu de cela, après un long silence, il nuança en détournant le regard :

— Ce n'est pas ta mère que je vois, moi.

Mary plissa le front, désarçonnée.

— Est-ce à dire que je vous rappelle votre épouse ? Ma mère, elle aussi, m'a confié un jour que je ressemblais à ma tante Grace.

Un souvenir très flou. Mary était alors toute jeune, elle pourchassait un papillon. Elle revoyait encore sa mère qui la soulevait du sol au passage et s'esclaffait : « Tu es le portrait craché de ta tante Grace, petite Mary. J'ai hâte qu'elle fasse ta connaissance. »

Ç'avait été la seule fois où sa mère l'avait serrée contre son cœur.

Son oncle l'observa encore puis hocha la tête et céda :

— Fort bien. J'ai pris ma décision. Tu n'iras pas en pension. Mais au moindre tracas que tu me causeras, je t'y enverrai sans délai, est-ce clair ?

Mary acquiesça posément, alors qu'au fond d'elle-même elle jubilait d'avoir obtenu gain de cause.

— Oui, monsieur, répondit-elle poliment.

— Tu ne vas, de toute manière, pas rester parmi nous bien longtemps, soupira son oncle. Toutes les femmes quittent Misselthwaite, d'une façon ou d'une autre. Va. Je ne te retiens pas, conclut-il, la congédiant d'un geste de la main avant de se détourner.

Quand Mary ressortit du bureau, Mme Medlock l'attendait dans le couloir. La petite fille passa devant la gouvernante sans s'arrêter.

— On ne m'enverra pas en pension, déclara-t-elle par-dessus son épaule. Et on ne me confiera pas non plus à une préceptrice.

Elle réprima un sourire.

Mme Medlock s'élança après elle.

— Ah, non ? s'étonna-t-elle.

— Non, confirma Mary. Ce sont les ordres de M. Craven. Il refuse que je quitte ce manoir comme toutes les autres femmes.

— Pardon ? s'étrangla la gouvernante en jetant un regard incrédule vers le bureau.

— Veillez à ce que Mme Pitcher me prépare bien mes sandwichs spéciaux, conclut Mary. J'ai besoin d'un supplément de viande pour bien grandir.

Mme Medlock en resta bouche bée. Incapable de se retenir de sourire plus longtemps, Mary courut se réfugier dans sa chambre.

※

Dans le courant de la matinée, Mary retourna près de la souche d'arbre où elle avait fait la connaissance de Jemima, la chienne. Il faisait meilleur que la veille, et le ciel était piqueté de bleu, cependant de gros nuages blancs le traversaient encore. Mary déballa les sandwichs que lui avait remis la cuisinière et en retira le spam.

— Je sais que tu es là ! s'écria-t-elle en direction des buissons.

Hélas ! les branchages ne remuèrent pas.

— Si tu crois que je vais te jeter de la viande aujourd'hui, tu fais erreur. Tu vas venir prendre ton repas comme un animal poli : dans ma main.

La chienne pointa alors sa tête de derrière une souche.

Mary sourit et lui tendit le spam. L'animal approcha, d'abord lentement, puis au petit trot. Il mangea dans la main de Mary, en agitant sa queue hirsute, et lécha ce faisant les doigts de la fillette. Celle-ci gloussa au contact de cette langue râpeuse. Elle offrit encore à manger à Jemima, qui se laissa caresser les oreilles et le museau.

— Tu es une bonne chienne, Jemima. D'où viens-tu, dis-moi ?

Jemima recula. La tête inclinée de côté, elle observa Mary puis aboya.

— Tu veux encore jouer ? Soit, allons-y !

Mary fourra les restes de son sandwich dans sa sacoche en cuir puis partit en courant, l'animal sur les talons. Elles traversèrent les jardins au pas de course et enfilèrent les allées herbeuses en direction de la lande.

Lorsqu'elles furent au bout de l'allée, Jemima s'enfonça dans la brume.

— Attends, Jemima ! Il ne faut pas s'aventurer sur la lande ! voulut la retenir Mary.

CRAC !

Accompagnant l'horrible craquement, un hurlement perçant retentit. Mary sentit son cœur se figer. Elle accourut dans la direction d'où provenait le cri et découvrit Jemima, une patte prise dans un horrible piège de métal – comme ceux que les braconniers utilisent pour les lapins et les lièvres.

— Non ! s'étrangla Mary.

Les cris de douleur de Jemima étaient pour elle comme autant de coups de poignard. La mâchoire d'acier broyait la patte du pauvre animal dont le regard était comme fou. Quand Mary s'accroupit devant elle, la chienne tenta de la mordre, égarée par la souffrance. La petite recula d'un bond.

Jemima se débattait, aggravant encore sa blessure.

— Non, surtout ne bouge plus ! l'implora Mary, les larmes aux yeux.

Elle s'agenouilla de nouveau, plus lentement cette fois. Elle murmurait des paroles apaisantes, s'efforçait de parler d'une voix posée.

— Tout va bien, Jemima. Je vais t'aider. C'est promis. Tu dois me laisser faire.

La chienne cessa de se débattre et se figea. Elle grelottait toutefois de douleur. Quant à ses yeux, ils fixaient ceux de Mary, implorants.

— Voilà, déclara prudemment la fillette. Tiens-toi tranquille.

Elle examina rapidement la patte mutilée. La vue du sang lui donnait la nausée, mais elle devait agir. Ravalant la boule qu'elle avait dans la gorge, elle se pencha sur le piège, dont elle écarta la mâchoire. Elle dut y employer toutes ses forces, mais elle parvint à desserrer l'étau. Et Jemima se dégagea en glapissant.

Le piège se referma instantanément. Mary frissonna : sa main avait failli se faire prendre. Mais elle avait réussi. Elle avait libéré Jemima !

La chienne, elle, léchait sa plaie. Debout, elle ne pouvait cependant pas s'appuyer sur sa patte blessée.

— Approche, je vais t'aider, lui dit Mary.

Malheureusement, l'animal préféra s'éloigner. Mary lui courut après mais, bien que clopinant sur trois pattes seulement, la chienne demeurait plus rapide qu'elle et semblait déterminée à ne pas se faire rattraper. Elle se réfugia dans le trou sous le mur, où elle disparut.

« Je ne peux pas l'abandonner, songea Mary. Elle est blessée. Il lui faut des soins. »

Levant les yeux, elle repéra le rideau de lierre et l'arbre qui se dressait à côté du mur, et prit sa décision. Sans prêter attention aux brindilles qui la griffaient à travers ses bas et lui égratignaient les mains, elle escalada le tronc et parvint à se hisser au sommet du mur, qu'elle enjamba comme s'il s'agissait d'un cheval.

Un sentiment de triomphe l'envahit. Elle était si haut ! Il ne lui restait maintenant plus qu'à redescendre de l'autre côté. De ce côté-ci il y avait aussi des branches et du lierre. Mary bascula ses jambes dans le vide et entreprit la descente. Mais lorsqu'elle lâcha le mur, la branche sur laquelle elle s'appuyait craqua.

Et Mary chuta dans un cri aigu !

CHAPITRE NEUF

Le jardin secret

Le lierre ralentit la chute de Mary en formant comme un tunnel autour d'elle. La jeune aventurière atterrit au sommet d'une pente raide, qu'elle dévala dans la foulée, en roulé-boulé, sur un tapis de feuilles mortes et de fougères. Elle se réceptionna brutalement et resta un moment allongée, à se demander si elle s'était cassé quelque chose. La tête lui tournait un peu quand elle rouvrit les yeux. Une femme à la chevelure brune, évanescente, se tenait au-dessus d'elle, visiblement inquiète.

— Maman ! s'étouffa Mary, sous le choc.

Elle se rassit, et le soleil dissipa la silhouette.

Mary inspira profondément. Elle avait dû se cogner la tête dans sa chute. Pendant une seconde, elle avait réellement cru voir sa mère – mais cela était naturellement impossible.

« Où suis-je ? » s'interrogeait-elle en scrutant les environs. Elle était entourée d'arbres dont les branches formaient un réseau serré au-dessus de sa tête. Par une trouée de cette canopée feuillue, le soleil parvenait jusqu'au sol.

Mary se leva lentement. Elle était couverte de coupures et d'égratignures, son manteau neuf avait amassé une couche de mousse et de brindilles, mais en dehors de cela, elle ne souffrait pas trop. Elle s'engagea donc sur un sentier.

— Jemima ! appela-t-elle, en se demandant où était passée son amie.

Les arbres étaient très anciens ici – presque préhistoriques – et leurs troncs avaient comme jailli dans toutes les directions. Leurs branches tordues étaient enrobées d'une mousse verte et douce qui semblait scintiller au soleil. Les feuilles mortes formaient un tapis épais qui crissait sous les pieds de Mary, tandis que celle-ci contournait les racines noueuses qui avaient surgi de terre. Elle en eut la chair de poule. « On se croirait dans un conte de fées », songea-t-elle.

Elle doubla de gros rochers dégoulinants d'eau et parvint à une véritable jungle composée de luxuriantes plantes vertes qui la dépassaient en hauteur. Leurs tiges étaient grosses comme des troncs d'arbres, leurs feuilles aussi larges que des parapluies. La végétation bloquait le passage à Mary, qui insista malgré tout et déboucha dans une clairière ensoleillée. Les hautes herbes du pré lui arrivaient parfois à la taille. Elle aperçut en bordure de la prairie un large ruisseau bordé de galets, et dont les eaux reflétaient le soleil. Mary s'y dirigea. Lorsqu'elle l'eut atteint, elle perçut un aboiement étouffé et ressentit une bouffée de joie. Jemima était sur l'autre rive, sa patte blessée lovée sous son corps.

— Jemima ! l'interpella Mary.

La chienne lui adressa un regard soupçonneux puis recula.

— Ne sois pas fâchée contre moi, l'implora la petite fille. Je n'ai pas installé ce piège. Allons, reviens, qu'on puisse te soigner.

Jemima soutint le regard de Mary sans bouger, si bien que cette dernière dut prendre une décision.

— Très bien, dit-elle.

Si Jemima ne venait pas à elle, c'est elle-même qui irait à Jemima ! Elle retira donc son manteau, qu'elle posa dans l'herbe auprès de sa sacoche, puis elle s'avança dans l'eau claire. Le froid la fit haleter. Le lit du cours d'eau s'enfonça sous ses pas, à tel point qu'il lui fallut bientôt faire quelques brasses. Or Mary n'était pas très bonne nageuse. Cependant, à force de détermination, elle parvint à rallier l'autre berge. Elle ressortit de l'eau tremblante et glacée.

Jemima l'observait d'un œil méfiant.

— Tu veux bien me montrer ta patte, maintenant, Jemima ? demanda Mary.

La chienne ne réagit pas.

— Je ne te ferai pas de mal, promis, insista Mary.

Elle s'avança encore ; Jemima eut un mouvement de recul.

— Tu ne veux pas que je t'aide ? soupira la jeune fille. Tant pis. Nous nous occuperons de ta patte plus tard. Pour le moment, nous allons explorer. Quel endroit merveilleux ! Suis-moi.

Elle reprit sa route et Jemima lui emboîta le pas – sur trois pattes. Quand Mary se mit à courir, la chienne la doubla et ouvrit la marche. Elle ne semblait pas trop handicapée par sa blessure.

Il y avait tant à voir dans ce jardin caché derrière le mur. Les deux amies découvrirent de gigantesques fougères arborescentes, franchirent un bosquet d'arbres insolites, aux troncs bulbeux et aux feuilles en forme de frondes, puis se frayèrent un passage dans une espèce de jungle.

À mesure qu'elle écartait les feuilles, une histoire se formait dans l'esprit de Mary.

— Il était une fois deux amies qui s'appelaient Mary et Jemima, se mit-elle à raconter. Ensemble, elles découvrirent un jardin étrange mais somptueux. Elles y restèrent toute la journée et ne firent que jouer !

L'enchevêtrement de la jungle fit bientôt place à un ensemble plus sage fait de parterres envahis par la végétation, d'allées de gravier et de statues de pierre couvertes de lierre. À l'autre bout se dressait un joli temple affaissé – une ancienne structure constituée d'arches en pierre grise, sans toit. Mary et Jemima s'y précipitèrent.

— Oh, Jemima ! Regarde ! s'extasia Mary en découvrant le bassin situé au centre du temple.

À la vue de l'eau scintillante, la chienne aboya, toute folle, et Mary l'imita.

Jemima bondit dans le bassin. Mary l'y suivit, et elles s'éclaboussèrent gaiement. Quand elles en ressortirent, elles coururent jusqu'à une clairière herbeuse parsemée de monticules fleuris et de cornouillers à l'écorce rouge. Mary s'écroula dans l'herbe, toute pantelante. À quoi bon cacher ce jardin derrière un mur ? Les jardins n'étaient d'ordinaire pas des endroits secrets. Ils étaient conçus pour le plaisir de la promenade. Celui-ci semblait pourtant ne pas avoir été visité depuis une éternité.

Un oiseau chanta, Mary tourna la tête. Un rouge-gorge s'était perché sur une vieille statue de pierre brisée dont la tête était recouverte de mousse. L'oiseau adressa un regard à la petite fille puis pépia de nouveau.

— Bonjour à toi aussi, lui répondit Mary en souriant.

Elle se demandait s'il s'agissait du même rouge-gorge aperçu lors de son arrivée à Misselthwaite.

L'oiseau chanta encore puis agita ses ailes. Mary eut l'étrange sensation qu'il cherchait à lui dire quelque chose.

— Qu'y a-t-il ? lui demanda-t-elle.

Le rouge-gorge s'engouffra dans la bouche de la statue. Puis il en ressortit la tête et pépia en direction de Mary. Jemima aboya.

Mary était certaine que les deux animaux attendaient quelque chose d'elle. Elle se leva donc et se dirigea vers la statue. Le rouge-gorge chantait plus fort maintenant que Mary approchait. « Comme s'il m'encourageait… » se dit la petite fille.

— Y a-t-il quelque chose à l'intérieur ? chuchota-t-elle. Quelque chose que tu voudrais que je découvre ?

Dressée sur la pointe des pieds, elle plongea la main dans la bouche de pierre. Elle ne sentit d'abord que de la mousse, mais elle frôla bientôt un objet dur et métallique. Qu'était-ce ? Il était hélas hors de portée.

Jemima aboya près d'elle. Mary constata que la chienne avait déposé un bâton à ses pieds.

Voilà précisément ce qu'il lui fallait.

— Excellente idée, Jemima ! la félicita-t-elle.

Elle ramassa le bâton et s'en servit pour rapprocher le mystérieux objet. Quand elle le sortit au grand jour, elle vit qu'il s'agissait d'une grosse clé en fer, couverte de mousse. Elle retira la mousse et admira la clé, stupéfaite. Que venait faire une clé dans la bouche d'une statue, et quelle serrure ouvrait-elle ?

— Eh bien ? lança Mary aux animaux. C'est ce que vous vouliez que je trouve ? Que suis-je censée en faire, à présent ?

Jemima bondit sur trois pattes et aboya ; le rouge-gorge pépia.

— Je ne vous comprends pas, s'exaspéra-t-elle en riant.

Elle observa les gigantesques fougères vertes et les antiques arbres protecteurs qui se dressaient autour d'elle, le tout baigné de soleil.

— Mais cet endroit… ajouta Mary. Ce jardin… c'est fabuleux.

Elle avait hâte de l'explorer encore, mais elle entendit soudain une clochette et Mme Medlock qui l'appelait au loin.

— Je vais devoir rentrer, déclara-t-elle, frustrée. (Elle fourra la clé dans sa poche.) Mais je reviendrai demain, ajouta-t-elle. C'est promis. Il faudra que j'inspecte ta patte, Jemima. J'espère qu'elle va guérir. (Une pensée lui vint tout à coup.) Oh ! mais comment vais-je faire pour sortir d'ici ?

Jemima aboya et se dirigea vers un bosquet. Mary l'y suivit et comprit qu'elle était revenue à son point de départ. Elle ramassa son manteau, l'enfila, puis gravit la berge pour atteindre le pied du mur, qu'elle entreprit d'escalader. À un moment, son pied glissa, mais elle sentit une branche venir au-devant d'elle et la pousser vers le haut. Mary ouvrit de grands yeux. Cet arbre venait à sa rescousse ? Impossible… Pourtant Mary commençait à se dire que tout pouvait arriver dans ce jardin enchanté à l'abandon !

Au sommet du mur, elle fit une pause et regarda d'où elle venait. Le jardin s'étirait en contrebas, tel un royaume secret. Quel endroit merveilleux, stupéfiant…

— Mary ! entendit-elle crier Mme Medlock.

Elle soupira, puis bascula une jambe dans le vide et se laissa glisser de l'autre côté. Tout semblait tellement plus terne, tellement plus gris. Ici, une chienne n'était qu'une chienne, un rouge-gorge qu'un rouge-gorge, mais Mary s'en moquait. À la pensée que le jardin l'attendrait le lendemain encore, son cœur s'envola.

❋

Mary était si exaltée par sa visite au jardin qu'elle ne s'émut même pas lorsque Mme Medlock la gronda sévèrement pour être rentrée si tard et avoir souillé son manteau neuf.

— Tu t'es vue ? Tu es couverte de boue. Tes cheveux sont emmêlés et trempés !

— M. Craven m'a dit de jouer, répliqua-t-elle avec nonchalance. J'ai joué, voilà tout.

❋

Quelques minutes plus tard, dans son bain bouillant, Mary observait la clé qu'elle avait introduite en douce dans la salle de bains. Pourquoi Jemima et le rouge-gorge avaient-ils tenu à ce qu'elle la découvre ? Était-ce la clé du jardin secret ? Mary mourait d'envie de se confier. Si seulement elle avait quelqu'un à qui parler…

Elle songea à son cousin, Colin, allongé dans son lit à l'étage. Son autre secret. Oui, elle irait peut-être lui parler du jardin. D'ailleurs, il était possible qu'il connaisse son existence. Après tout, il avait toujours vécu à Misselthwaite.

« J'irai le trouver cette nuit », décida Mary.

Tout à sa joie et à sa satisfaction, elle se laissa glisser dans l'eau chaude.

CHAPITRE DIX

Les cousins

Mary se faufilait sans bruit dans le couloir menant à la chambre de Colin, cette nuit-là, lorsqu'elle entendit quelqu'un approcher. Elle se cacha dans l'embrasure d'une porte et tendit l'oreille. La porte de son cousin s'ouvrit.

— Non, par pitié, madame Medlock ! entendit-elle supplier. Je n'aime pas ça. Le goût est horrible. Ça me donne des brûlures d'estomac.

— Je sais, Colin, répondit la gouvernante, mais ton père insiste. C'est ainsi que tu guériras.

Mary entendit Colin sangloter.

— Non, ça non, je ne guérirai pas. Rien ne me guérira. Je vous en prie…

— C'est soit le médicament, soit l'appareil orthopédique, répliqua Mme Medlock d'un ton sans appel. Allons, sois raisonnable, ce sera vite passé.

Colin hurla ; Mary sentit son ventre se nouer. Ce n'était pas la première fois qu'elle entendait ces cris, mais savoir qu'ils provenaient de Colin changeait tout. Elle serra les poings. Elle n'avait qu'une envie : se précipiter dans la chambre, gronder Mme Medlock, lui arracher le médicament et le jeter afin que Colin n'ait plus jamais à le prendre. Et d'ailleurs, pourquoi avait-il besoin de médicament ? Certes, il était maigre et avait le teint pâle, mais il ne semblait pas si mal en point.

Après quelques minutes, Mary entendit Mme Medlock rebrousser chemin.

— Je repasserai plus tard, quand tu seras calmé, annonça la gouvernante en refermant la porte derrière elle.

Mary se renfonça plus encore dans l'ombre. Elle n'osait imaginer les ennuis qu'elle s'attirerait si Mme Medlock la surprenait. Elle attendit un bon moment avant d'entrer dans la chambre de Colin.

Celui-ci sursauta. Il avait les joues striées de larmes, qu'il essuya rapidement tout en se détournant de Mary. La petite fille comprit qu'il tentait de se ressaisir, qu'il ne voulait pas qu'elle le voie pleurer.

— J'ai parfois besoin de prendre un médicament, déclara-t-il d'une voix guindée, comme s'il éprouvait le besoin de s'expliquer. Mon père prétend que c'est pour mon bien. Je ne le vois jamais, il est trop occupé, mais c'est ce que les docteurs lui ont affirmé. (Colin inspira puis se tourna vers Mary.) Je ne pensais pas que tu reviendrais.

— J'en ai eu l'envie, se justifia sa cousine.

Son regard se posa sur un objet, au bout de la chambre :

un fauteuil roulant ! Elle ne l'avait pas remarqué la veille. Elle alla s'y asseoir.

— Ce fauteuil est-il à toi ? Es-tu infirme ?

— Ce ne sont pas tes affaires. N'y touche pas ! gronda Colin.

— Il roule bien, commenta Mary en se trémoussant sur le siège. Veux-tu que je t'aide à t'y installer, que nous puissions partir explorer ensemble ? Je pourrais te pousser !

— Non ! Je ne m'en sers jamais, à cause de mon dos. Tu as vu la bosse de mon père ? Eh bien, j'en possède une encore plus grosse. Je n'ai jamais pu marcher, dit-il en soupirant. Mary, je crains de devoir t'apprendre que ton cousin est mourant !

Les mots jaillirent de la bouche de la fillette avant qu'elle puisse les retenir :

— Tu n'en as pas l'air, en tout cas.

— Combien de mourants as-tu vus, dans ta vie ? lui rétorqua Colin avec une moue de mépris.

Mary ne répondit pas, trop occupée à ressasser ce qu'elle venait d'entendre. Si Colin était réellement mourant, pourquoi n'avait-il pas l'air plus souffrant ? Elle ne l'avait jamais vu autrement qu'assis dans son lit, mais il ne semblait pas handicapé par une bosse si terrible. Et pourquoi cette espèce de fierté, à annoncer qu'il était mourant ? Décidément, quelque chose ne tournait pas rond.

— On pourrait sortir ? suggéra Mary. Cela te ferait peut-être du bien.

— *Sortir* ? répéta Colin comme si elle avait proposé un voyage sur la Lune. Impossible. (Il porta une main à sa gorge dans un geste théâtral.) On a tenté de me faire sortir, une fois, mais la puanteur des roses a failli me tuer ! ajouta-t-il.

Mary ne put réprimer un sourire.

— Tu veux me faire croire que tu as peur des fleurs ? Sornettes…

Son cousin la foudroya du regard. Elle voyait bien que Colin n'appréciait pas qu'elle tourne son malheur en dérision.

— Et si je te disais qu'il existe un lieu paradisiaque, là, dehors ? reprit-elle. Un lieu où les oiseaux chanteront pour toi, et où une gentille chienne jouera avec toi ?

— Je te répondrais que tu mens, se fâcha Colin. De plus j'ajouterais que ça ne m'intéresse pas, même si tu dis la vérité. Rien de ce qui se trouve dehors ne m'intéresse ! surenchérit-il en haussant la voix.

— Mais… voulut argumenter Mary.

Colin se détourna de nouveau et la coupa :

— Je suis fatigué. Tu peux disposer.

Mary en resta bouche bée. Comment ce garçon osait-il lui donner des ordres, alors qu'elle venait de lui apprendre une fabuleuse nouvelle ?

— Pardon ? répliqua-t-elle.

— Je suis fatigué, répéta Colin. Pars, s'il te plaît.

— Non, rétorqua Mary en croisant les bras.

Elle se réjouit de la mine abasourdie qu'afficha Colin. À l'évidence, il n'avait pas l'habitude que l'on contredise ses ordres.

— Je ne suis pas ton jouet, s'indigna Mary. Tu ne peux pas me prendre et me poser à ta guise !

— C'est toi qui es venue dans ma chambre. Je ne t'ai pas invitée.

— Je t'ai révélé des secrets. Je t'ai parlé de mon endroit magique.

— Des secrets dont je me moque ! (Colin se redressa.) Alors maintenant, sors et laisse-moi.

— Quel mufle ! pesta Mary en se dirigeant vers la porte.

— N'emploie pas des mots que tu ne comprends pas ! cria encore Colin.

Mary fit volte-face et leurs regards se croisèrent. À cet instant précis, la petite fille sentit un lien intense se créer entre eux. « Nous nous ressemblons fort, constata-t-elle. Pas à tous points de vue, mais à certains égards. Nous… nous formons un beau duo. »

Colin se renfonça dans ses oreillers, et la tension baissa d'un cran dans la chambre.

Mary avisa un portrait de sa tante Grace contre un mur et demanda :

— Est-ce ta mère ? On m'a dit que je lui ressemblais.

— Je la déteste, marmonna Colin.

— Tu la détestes ? répéta Mary, sidérée.

— Parce qu'elle est morte, oui. Elle m'aimait à la folie, mais en mourant, elle m'a laissé tout seul – ne trouves-tu pas cela impardonnable ?

Colin adressa un coup d'œil à Mary pour susciter son empathie.

Hélas ! sa cousine n'en avait pas à lui donner.

— Estime-toi heureux, répliqua-t-elle. La mienne ne m'a jamais aimée !

Elle baissa les yeux.

Un long silence s'installa.

Quand Colin reprit la parole, ce fut d'une voix adoucie.

— Tu voudrais bien me faire la lecture, pendant que j'essaie de m'endormir, Mary ? J'ai du mal à trouver le sommeil. Mon dos m'élance, et je pense trop.

Relevant les yeux, Mary trouva au garçon un air presque implorant.

Elle hocha la tête puis retourna s'asseoir dans le fauteuil roulant.

— Très bien, dit-elle. Je vais te raconter une histoire qui parle des dieux et d'une querelle sur l'origine du feu.

— Quelle horreur, grimaça Colin. (Il lui tendit un livre.) Tiens, lis-moi plutôt ceci, ajouta-t-il.

Mary éclata de rire.

— Qu'y a-t-il ? s'étonna Colin.

— Je crois que tu es le garçon le plus mal élevé que j'aie jamais rencontré, révéla Mary en secouant la tête.

Colin voulut riposter, s'indigner. Sa cousine haussa les sourcils et lui imposa le silence. Après quoi, elle ouvrit le livre et se mit à lire.

CHAPITRE ONZE

Rêves et souvenirs

Mary lut jusqu'à ce que Colin ferme les yeux. Ensuite seulement, elle se leva et sortit de la chambre sur la pointe des pieds.

Sitôt qu'elle eut refermé la porte, elle se figea : un rire venait de retentir derrière elle. Mary pivota sur ses talons et aperçut deux silhouettes spectrales qui s'élançaient dans le couloir – deux jeunes femmes vêtues de longues robes de bal blanches – sa mère et tante Grace. Elles lui sourirent avant de se volatiliser comme par enchantement.

Mary cligna des yeux, un frisson glacé lui parcourut le dos. Venait-elle bien d'apercevoir deux fantômes ? « J'ai dû rêver », se raisonna-t-elle en scrutant le couloir désert. « Sûrement… »

Mais au même instant, un autre bruit la fit sursauter : les pas de Mme Medlock dans l'escalier. La gouvernante allait la surprendre ! Mary se précipita sur une porte située face à la chambre de Colin et en tourna la poignée. À son grand soulagement, elle s'ouvrit, et Mary put s'engouffrer à l'intérieur.

Le clair de lune qui se déversait par les fenêtres lui permit de constater que les murs étaient ornés de peintures minutieuses. Tout était en ordre, ici. Des objets étaient disposés comme dans une boutique : un paravent oriental, une commode de bois à motifs floraux, des vitrines garnies de jolis objets en ivoire ciselé et de petits éléphants en ébène.

Mary inspecta les lieux, curieuse, et remarqua bientôt un rayon de lumière pâle sur un mur. Elle s'en approcha : la lumière dessinait les contours d'une porte dérobée. Mary en suivit délicatement les bords jusqu'à rencontrer une tige de bois en légère saillie. Elle l'enfonça, et la porte s'ouvrit.

En découvrant ce qui l'attendait de l'autre côté, Mary retint son souffle : une chambre brillait de mille feux. Le clair de lune, qui y pénétrait par une immense fenêtre, se reflétait sur les épaisses toiles d'araignées suspendues au plafond. Des mannequins de couturière étaient disposés çà et là, parés de belles toilettes anciennes, toutes rehaussées de pierres précieuses qui scintillaient. D'autres mannequins étaient couverts d'élégants manteaux et d'étoles de fourrure. Mary s'avança, les yeux de plus en plus écarquillés de surprise à mesure qu'elle évoluait entre les robes, caressait les étoffes soyeuses.

Au centre de la chambre, des cartons contenaient des centaines des photographies. Mary les détailla avec curiosité. Sur tous ces clichés, on voyait sa mère et sa tante, à tous les âges de leur vie : sa mère assise, enlacée par sa jumelle ; les deux sœurs qui couraient dans les bois ou dansaient dans un champ. Sur chaque image, les deux modèles paraissaient au comble du bonheur. Mary s'attarda sur une : les jumelles se promenaient dans une allée bordée de jolis parterres et de statues. Deux très jeunes enfants les accompagnaient, et tous les quatre marchaient main dans la main, dos à l'objectif. Un autre cliché les montrait assis sous un grand chêne, à une branche duquel avait été installée une balançoire.

Mary délaissa les photographies pour ouvrir une penderie. Elle y trouva quantité d'autres toilettes encore plus belles. Tandis qu'elle les passait en revue, quelques-unes se décrochèrent de leurs cintres. La fillette ramassa une robe argentée, et ne put résister à la tentation de l'essayer. Elle l'enfila par-dessus ses vêtements de nuit. Elle était bien trop grande pour elle, mais Mary tournoya malgré tout sur elle-même.

« Il était une fois une jeune fille qui s'appelait Mary Lennox, se prit-elle à rêvasser. Elle avait été invitée à un grand bal, où elle dansa et dansa encore, et où chacun la trouva très belle. » Mary prit un boa en plumes sur un mannequin, envoyant au passage valser écharpes et étoles, puis elle enchaîna quelques entrechats pour s'approcher d'une commode dont elle ouvrit tous les tiroirs. Elle mit au jour des dentelles, des gants de cuir d'une extrême finesse, un peigne en écaille de tortue et, enfin, plusieurs coffrets à bijoux. Dans l'un d'eux, elle découvrit des perles qu'elle passa immédiatement autour de son cou. Puis elle sourit à son reflet dans le miroir.

C'est alors qu'un cri de douleur bien familier la ramena à la réalité. Colin ! Mme Medlock devait être retournée dans sa chambre pour le forcer à prendre le médicament qu'il détestait.

Mary retira la robe et le boa, qu'elle abandonna par terre avec les autres parures, et courut épier à la porte de la première pièce. Ce faisant, elle porta une main à son cou. Les perles ! Elle les ôta vivement et les fourra dans la poche de sa robe de chambre. Elle les rapporterait plus tard. Les cris de Colin s'étaient transformés en sanglots, et elle entendit Mme Medlock qui s'en allait. Les pas de la gouvernante résonnaient dans l'escalier ; Mary ouvrit la porte, décidée à aller voir Colin, mais un bruit la fit hésiter.

Elle risqua un regard dans le couloir. Son oncle se dirigeait vers la chambre de Colin, devant laquelle il s'arrêta. Sa main se posa sur la poignée, mais il la retira, un masque d'émotions contradictoires sur le visage.

« Pourquoi n'entre-t-il pas ? » s'interrogeait Mary. Elle savait que, si elle-même avait été souffrante – et si son père avait été encore en vie –, il aurait accouru à son chevet.

Son oncle prit une longue inspiration, se passa la main dans les cheveux, puis fit demi-tour et repartit d'où il était venu.

À cet instant précis, Mary le détesta de toute son âme. Pourquoi n'était-il pas allé réconforter son fils ? Si la mère de Colin l'avait jadis aimé, ce n'était visiblement pas le cas de son père.

Son oncle et Mme Medlock arpentant les couloirs, Mary n'osait plus s'aventurer chez son cousin. Elle regagna donc sa chambre en vitesse. La journée avait été riche en aventures : Jemima prise à un piège, le jardin sublime, la chambre cachée, et Colin qui prétendait être à l'article de la mort. Mary songea à la photographie sur laquelle sa mère et sa tante tenaient deux jeunes enfants par la main. S'agissait-il de Colin et d'elle-même ? Non, allons. Colin lui avait confié qu'il n'avait jamais été en état de marcher ; quant à la fillette du cliché, ce ne pouvait être elle puisqu'elle n'avait jamais foulé le sol anglais avant ces derniers jours. Qui étaient donc ces enfants ?

Mary s'endormit avec des images plein la tête : le jardin secret, la chienne, le rouge-gorge… Elle-même qui courait entre les parterres désertés par les mauvaises herbes et qui étaient à présent recouverts de grosses fleurs vives… Dans sa course, elle se retrouva soudain transportée aux Indes. Son père la poursuivait – il jouait au monstre – et elle gloussait de plaisir… Voilà maintenant qu'elle était assise dans la véranda. Sur ses genoux, un livre d'exercices couvert d'écritures. La porte s'ouvrit et par l'embrasure elle remarqua sa mère allongée sur une banquette. Leurs regards se croisèrent, Mary sentit une bouffée d'espoir l'envahir. Sa mère voudrait peut-être la voir, cette fois ?

— J'ai écrit une histoire, maman ! lança-t-elle en se dirigeant vers la porte. Puis-je te la lire ?

— Non, Mary. Pas maintenant. Va, s'il te plaît, lui répondit sa mère d'une voix lasse. J'ai besoin de calme.

— Mais maman, je l'ai écrite pour toi…

Sa mère adressa un signe à une servante, et la porte se referma au nez de Mary.

« Elle me déteste », songea celle-ci, les joues baignées de larmes.

— Mary ?

C'était son père. Il entra dans la véranda et la découvrit en larmes.

— Oh ! petit singe, dit-il en lui essuyant les joues. Voulais-tu voir maman ? (Mary acquiesça.) Elle… elle ne peut te recevoir pour le moment. Elle est triste, répondit-il en soupirant.

— Mais je pourrais essayer de la rendre heureuse, papa, insista Mary.

— J'ai bien peur que cela ne fonctionne pas ainsi, petit singe, lui opposa son père avec un sourire penaud. Te voir ne fera qu'aggraver son état. Tâche de ne pas le prendre à cœur.

Mary ne comprenait pas. En quoi le fait de la voir allait-il aggraver la condition de sa mère ?

— Ta maman est malade, poursuivit son père. *Très* malade.

— Je voudrais qu'elle meure et qu'elle nous laisse tranquilles ! gronda Mary.

— Allons, Mary, tu ne dois pas dire des choses pareilles ! la houspilla son père. Et maintenant sois gentille et va jouer. J'ai à faire.

Mary ravala ses larmes. Elle allait être bien sage, comme son père le lui avait demandé car, dans le cas contraire, lui aussi risquait de lui fermer les portes au nez, et de cesser de l'aimer.

❄

Les bruits que faisait Martha en nettoyant l'âtre réveillèrent Mary.

— Bonjour, mademoiselle, lui dit la domestique en lui adressant un sourire amical.

— Bonjour, Martha, répondit-elle.

Puis, après l'avoir regardée travailler un moment, elle reprit :

— Martha ? Vous travaillez dans ce manoir depuis longtemps ?

— Depuis que j'ai douze ans, mademoiselle. J'ai commencé comme fille de cuisine. Les choses étaient bien différentes, à l'époque. Il y avait des filles de cuisine, des servantes, des valets de pied, un majordome et des garçons d'écurie. (Elle secoua la tête.) C'était une autre époque, mademoiselle.

— Avant la guerre.

— Et avant que la maîtresse ne meure. C'est dur à croire aujourd'hui, mais cette maison était autrefois remplie de lumière, de rires et de bonheur.

— À quoi ressemblait ma tante Grace ? s'intéressa Mary.

Surprise, Martha demanda :

— Votre mère ne vous a jamais parlé d'elle ?

— Non. Elle n'évoquait jamais l'Angleterre. Pas à ce que je me rappelle, en tout cas.

— Le souvenir lui était peut-être trop pénible, soupira de nouveau Martha. La maîtresse et elle... elles étaient comme les deux doigts de la main. Ce qu'elles ont pu pleurer quand votre père a appris qu'il était envoyé aux Indes... (Elle secoua la tête.) Je ne l'oublierai jamais. J'ignore comment votre mère a surmonté la mort de ma maîtresse. Ç'a dû la tuer à moitié. (La servante se leva.) Vous faut-il autre chose, mademoiselle ? reprit-elle.

— Non, déclara Mary. (Le porridge l'attendait sur la table. Elle sourit.) Je me débrouillerai seule, Martha. Merci.

Surprise mais ravie, la jeune domestique se retira. Mary se dévêtit, choisit une robe sans boutonnière dans le dos, puis mangea son porridge. Elle repensait à tout ce que Martha lui avait dit. Sa mère et tante Grace, si proches l'une de l'autre ? Si elle s'était doutée… Quitter l'Angleterre avait dû être un crève-cœur pour sa mère. Et plus encore la nouvelle de la mort de tante Grace.

Son rêve lui revint en mémoire. Bien plus qu'un rêve, Mary savait qu'il s'agissait d'un souvenir. Elle se rappelait avoir attendu sa mère dans la véranda, avoir senti la peine l'envahir quand la porte lui avait claqué au nez. Mais pour la première fois, elle se demandait quelles souffrances sa mère avait pu endurer alors. Cette interrogation modifia un peu les sentiments que sa mère lui inspirait.

Mary tournait encore ces pensées dans sa tête quand elle sortit du manoir. Elle s'était fait préparer de nouveaux sandwichs au spam et allait se promener au jardin. Chemin faisant, elle perçut un craquement derrière elle. Son cœur fit un bond. Quelqu'un la suivait-il ?

La petite fille se réfugia derrière un énorme chêne puis se dissimula sous un rhododendron ventru. À l'abri de ses branchages, elle observa Mme Medlock qui trottinait en lançant des coups d'œil soupçonneux à droite et à gauche.

« Oh ! songea Mary avec un petit sourire, Mme Medlock se croit assez maligne pour m'épier ? C'est ce que nous allons voir ! »

CHAPITRE DOUZE

Dickon

Mary attendit que la gouvernante revienne sur ses pas, la mine fâchée. Quand elle eut disparu, la petite fille sortit de sa cachette et se remit en marche.

Elle appela Jemima, en vain. Elle aperçut toutefois une silhouette dans la brume. Le frère de Martha, Dickon. Elle sentit la moutarde lui monter au nez. C'est lui qui avait posé le piège qui avait blessé Jemima – elle en était sûre !

— Dickon ? Attends ! s'écria-t-elle avant de se diriger vers le garçon.

Celui-ci s'éloignait déjà.

— Ah non, pas de ça ! le retint Mary. À moins que tu ne tiennes à ce que je demande à ta sœur de te tirer les oreilles…

Dickon se figea.

— Martha ne ferait jamais cela, répliqua-t-il. Elle m'aime autrement plus que toi.

— T'aimerait-elle encore si elle apprenait que tu poses des pièges et te livres au braconnage ? s'emporta Mary.

Dickon s'avança vers elle d'un air furieux. La fillette nota au passage qu'une hermine blanche pointait son museau par la poche de son veston.

— Au braconnage ? Jamais ! se récria Dickon. Je n'ai jamais posé le moindre piège de ma vie !

— Oh que si ! insista Mary avec un peu moins d'assurance. C'est obligé. Tu as bien dû en poser un dans la lande. Ma chienne Jemima l'a trouvé.

— Jemima ? répéta Dickon, les sourcils levés. Si tu parles du chien marron qui traîne sur ces terres, je ne suis pas sûr que ce nom lui aille comme un gant : c'est un mâle.

— Un mâle ? s'étrangla Mary. Jemima est un mâle ?

Dickon hocha la tête.

— Oh… fit Mary.

Elle se mordit la lèvre. Le sexe de Jemima n'était finalement pas d'une grande importance. Elle – ou il – était blessée, et tout indiquait que Dickon avait posé le piège qui l'avait mutilée.

— Ce n'est qu'un détail. Enfin, pas tout à fait. Toujours est-il que ce qui compte, c'est qu'il est blessé.

— Blessé ? (Le ton de Dickon changea instantanément.) Où est-il ? Tu peux me conduire à lui ?

— Je le pourrais, oui, assura Mary en adressant un regard méfiant au garçon. Mais pourquoi devrais-je te faire confiance ?

— Je saurai m'occuper de lui, se contenta de répondre le garçon. Ça, tu peux en être certaine.

Mary le regarda droit dans les yeux et y lut de l'honnêteté.

— Très bien, mais alors tu dois me promettre de garder le secret.

Dickon acquiesça et cracha dans sa main.

— Sur mon honneur, je garderai le secret, prononça-t-il d'une voix solennelle.

Et il tendit la main. Mary en resta interdite.

— Pourquoi t'es-tu craché dessus ?

Surpris, Dickon expliqua :

— Tu n'as qu'à faire pareil. Après on se serre la main. Et ça nous lie. Mais si tu es trop grande dame pour ça…

Mary secoua la tête.

— Je ne suis pas une grande dame, jeune homme ! se récria-t-elle.

Dans la foulée, elle cracha dans sa main et serra fermement celle de Dickon. Avec un sourire malicieux que le garçon lui rendit.

— Et maintenant, où est le chien ? embraya celui-ci.

Mary le conduisit au mur.

— Nous devons escalader, indiqua-t-elle, grâce aux branches de cet arbre.

Elle montra l'exemple. Dickon l'imita et, lorsqu'ils furent au sommet du mur, son visage rayonna de plaisir à la vue du jardin secret qui s'étendait en contrebas.

Mary se réjouit de pouvoir enfin partager sa découverte.

— C'est mon secret, déclara-t-elle, et tu dois le garder. Tu es ici uniquement pour aider Jem… enfin le chien.

Dickon approuva d'un signe de tête, après quoi les deux comparses descendirent en s'aidant du lierre. Mary veillait à bien se tenir aux branchages pour ne pas chuter comme la veille. Parvenue au pied du mur, elle poussa un cri de joie et s'élança.

— Par ici !

Dickon la suivit. Ils débouchèrent bientôt dans une clairière où Mary s'arrêta pour reprendre son souffle.

— Regarde-moi cet endroit, s'extasia Dickon en découvrant les lieux. Là-bas, un terrier de blaireau ! Et au printemps, il y aura des lapins, des écureuils, des hérissons, des hermines et des campagnols. Sans parler des renards !

Il avait le regard brillant, et Mary s'en réjouissait. Elle avait hâte de lui montrer le reste du jardin, mais d'abord, elle devait retrouver le chien.

— Jemima ! appela-t-elle en adressant un coup d'œil contrit à Dickon. J'imagine que je vais devoir le rebaptiser.

— Tâchons déjà de le soigner, raisonna le garçon.

— Jemima ! lança encore Mary.

Puis elle s'assit par terre et retira une tranche de spam d'un de ses sandwichs, qu'elle jeta devant elle.

Un bruissement se fit aussitôt entendre et le chien sortit d'un buisson voisin en marchant sur trois pattes. Il s'empara du spam et considéra Dickon d'un œil méfiant.

— Holà, mon beau ! lui dit le garçon.

Mary lui proposa une autre tranche, le chien s'approcha d'elle en boitant.

— Comment tu t'es retrouvé ici ? Ton maître n'est pas revenu de la guerre ? l'interrogea Dickon à voix basse.

Le chien se contentait de l'observer, toujours sur ses gardes.

— Je ne te veux aucun mal, assura le garçon. Tu pourrais le faire venir jusqu'à toi ? demanda-t-il à Mary.

Mary agita le spam, le chien approcha encore. Lorsqu'il passa devant Dickon, celui-ci l'empoigna et le coucha sur le dos.

— Mais que fais-tu ? s'étrangla Mary alors que l'animal hurlait. Lâche-le donc !

— Chut, murmura Dickon à l'oreille du chien.

Mary n'entendit pas ce qu'il dit ensuite, mais la bête se détendit lentement et Dickon pu examiner sa patte blessée. Quand il la toucha de ses doigts délicats, l'animal gémit.

— Tu t'es joué de moi ! s'indigna Mary.

Le chien geignit de nouveau.

Dickon leva les yeux vers Mary.

— Il te fait confiance. Tu veux bien lui tenir la tête ?

Mary vint caresser l'animal.

— Comment va-t-il ? demanda-t-elle. Sa patte, je veux dire.

— Il n'a rien de cassé, mais ça n'est pas joli. Il la perdra si on ne fait rien, il risque même de mourir.

— Que peux-tu faire ?

— Il y aurait un cours d'eau, dans les parages ?

— Oui, un ruisseau. Si je me rappelle où il se trouve…

Elle se mit à scruter les environs d'un œil dubitatif. Les arbres parurent alors s'écarter légèrement, et le soleil éclaira une piste. Mary cilla. Avait-elle rêvé ?

« Non, décida-t-elle. C'est le jardin : il est magique. »

— Par ici, indiqua-t-elle en désignant la piste. J'en suis sûre.

Le sentier les conduisit à la clairière où coulait le ruisseau. Dickon alla s'agenouiller sur la berge, le chien toujours dans ses bras. Après avoir retiré la besace qu'il portait en bandoulière, il lui nettoya sa blessure. Le chien gémit encore, mais il parut comprendre que le garçon l'aidait, alors il ne chercha pas à s'enfuir.

— Voilà, déclara enfin Dickon.

Mary l'avait regardé faire, fascinée.

— Dans ma besace, tu trouveras un chiffon. Et aussi un couteau. Découpe des longueurs de chiffon, que je puisse lui faire un bandage et éviter qu'il ne se salisse. Vite, vite !

Mary fut d'abord piquée : ce garçon osait lui donner des ordres ? Mais elle se ressaisit bientôt. Dickon voulait simplement rendre service, et il s'y entendait mieux qu'elle en matière d'animaux et de blessures. Elle se hâta donc d'obtempérer. Le chiffon protégeait un morceau de pain noir et du fromage. Mary déposa cet en-cas sur l'herbe, à côté de la besace.

— C'est la première fois que je me sers d'un couteau comme celui-ci, déclara-t-elle en le tirant de sa gaine.

— Alors fais bien attention, lui recommanda Dickon. Ou il me faudra aussi te soigner.

Le visage crispé sous l'effet de la concentration, Mary découpa le chiffon comme indiqué, puis remit les lanières à son compagnon.

— Du bien beau travail, la complimenta celui-ci.

Mary sentit une vague de chaleur l'envahir. Elle regarda Dickon bander la patte du chien. Quand il eut terminé, l'animal lui lécha les mains et le menton en signe de gratitude. Dickon gloussa.

— Ça va mieux, mon beau ? C'est bien, c'est bien, tu m'as assez remercié, ajouta-t-il en repoussant gentiment le chien. Montre-nous comment tu marches, mon grand.

L'animal boitilla d'abord, puis tenta de courir mais s'écroula dans l'herbe en hurlant.

— Dickon ! s'alarma Mary. Tu n'as rien soigné du tout ! Tu n'as fait qu'empirer les choses.

Elle se leva d'un bond, prête à rejoindre le chien, mais le garçon la retint.

— Non, dit-il. Attends voir.

Les hautes herbes frémirent, elles semblèrent s'élever autour du corps du chien, l'envelopper, le recouvrir tel un voile protecteur. Et l'animal s'endormit.

— Un peu de patience, murmura Dickon. On a fait tout ce qu'on pouvait.

— Il ne reste qu'à espérer que le jardin le soigne par magie ? voulut clarifier Mary.

Dickon hocha la tête et précisa :

— Demain matin, nous aurons la réponse. Espérons que ce sera celle qu'on attend, ajouta-t-il, la mine grave.

— Le jardin va l'aider, j'en suis certaine, assura Mary.

— Nous verrons, tempéra Dickon.

Sur ce, il se leva et alla récupérer son en-cas.

— On ne va quand même pas laisser perdre tout ça, dit-il. Tu en veux ?

— J'ai mes sandwichs, répliqua Mary en ouvrant sa sacoche. La cuisinière me les prépare et je les partage avec Jem… avec le chien.

Elle sortit ses sandwichs ; Dickon et elle déjeunèrent dans un silence complice que seuls vinrent troubler les bruissements de l'herbe, tandis que le soleil faisait scintiller le ruisseau.

CHAPITRE TREIZE

La chambre cachée

Cette nuit-là, Mary retourna rendre visite à Colin. Elle se demandait bien dans quelle humeur elle allait le trouver. À son grand soulagement, il parut ravi de la voir.

— Assieds-toi, dit-il d'un ton assez pompeux en désignant son lit. Parle-moi encore de ce jardin magique.

Mary ne demandait pas mieux. Elle avait encore exploré l'endroit avec Dickon l'après-midi et avait hâte de tout révéler à son cousin.

— Avec joie, accepta-t-elle, mais d'abord tu dois cracher et promettre de ne rien répéter à quiconque. C'est vraiment un endroit fabuleux ! (Ses yeux pétillaient.) On y voit des centaines d'arbres et de plantes, la mousse luit et il y a des végétaux qui ressemblent à des parapluies géants.

Les mots se bousculaient dans sa bouche tandis qu'elle s'efforçait de dépeindre la magie du jardin.

— Il y a également un très vieux temple qui donne l'impression d'être sorti de terre, avec un lac à l'intérieur ;

une allée bordée de statues et un ruisseau qui guérit les blessures. Les animaux hibernent tous ou presque jusqu'au printemps, sauf les oiseaux. On y trouve par exemple un rouge-gorge qui révèle des secrets, et un chien qui est le maître des lieux.

— Ça, je n'y crois pas trop mais… y a-t-il réellement un lac au milieu de ce temple ? relança Colin.

— Un lac, c'est peut-être exagéré, concéda Mary. Plutôt une mare. Par contre, il y a bien un ruisseau, et je suis presque sûre qu'il a le pouvoir de guérir. Bon, tu as promis de cracher.

Colin s'agita dans son lit. La suite, il la bredouilla, comme s'il rechignait à avouer une lacune :

— Mary, tu… enfin, il faudrait que tu m'apprennes à cracher.

La petite fille éclata de rire, puis elle cracha dans la paume de sa main et la lui tendit.

— Oh ! fit Colin en battant des cils. Tellement simple…

Il imita sa cousine, et ils se serrèrent la main.

— Bien, approuva Mary. À partir de maintenant, nous ne devrons jamais rompre notre promesse.

— Je ne dirai rien à personne, jura aussitôt Colin. Tu as ma parole. Parle-moi de ce chien. Tu pourrais peut-être le dresser ? J'ai un ouvrage qui traite de cela dans ma bibliothèque. (Il désigna du doigt le meuble). Va le chercher.

Mary gloussa encore et répliqua :

— Si tu me traites comme ça, je n'irai sûrement pas. (Et elle prit place dans le fauteuil roulant.) Quand as-tu utilisé ce fauteuil pour la dernière fois ?

— Va chercher mon livre ! s'emporta Colin.

Mary ne broncha pas.

— Je ne crois pas que ton dos te fasse autant souffrir que tu le prétends, ajouta-t-elle.

— Et je sais que tu n'as pas tué ta mère, contrairement à ce que tu affirmes. Alors, qui est le plus gros menteur ?

— Qui te l'a dit ? s'étouffa Mary.

— J'ai expliqué à la servante qui fait ma chambre que je t'ai entendue te promener dans les couloirs, et j'ai exigé qu'elle me dise qui tu étais. Tu es orpheline et tes parents sont morts du choléra, à l'hôpital. Elle a bien spécifié que tu n'étais pas une meurtrière.

Mary en eut une boule dans la gorge. Elle aurait préféré que ce que Colin disait soit vrai, mais elle savait pertinemment ce qu'elle avait fait. Et comme elle ne souhaitait pas prolonger la discussion, elle changea de sujet :

— Colin, me fais-tu confiance ? J'ai quelque chose à te montrer.

— Pourquoi te ferais-je confiance ? lui rétorqua son cousin.

La fillette haussa les sourcils. Colin eut la décence de paraître un tantinet honteux et de hocher la tête.

— Soit, ajouta-t-il. Mais je refuse de sortir.

— Ce ne sera pas nécessaire, assura Mary. (Elle approcha le fauteuil roulant du lit.) Dois-je t'aider, pour basculer ?

— Non, rougit Colin. Mais je ne veux pas que tu voies ma bosse. Tourne-toi. Je saurai me débrouiller.

Mary alla se poster à la porte et attendit, le dos tourné. Elle entendit son cousin grogner, jurer tout bas, puis, enfin, s'éclaircir la voix et déclarer :

— Tu peux te tourner.

Colin était assis dans son fauteuil roulant, une robe de chambre passée sur son pyjama. Il avait le teint livide.

— Je t'ai fait confiance, reprit Colin quand Mary l'eut poussé jusque dans le couloir. J'estime que tu devrais me rendre la pareille. Dis-moi pourquoi tu affirmes être un assassin ?

Mary hésita. Elle savait que son cousin avait fait un effort considérable en acceptant de quitter le lit, elle s'estimait redevable.

— J'ai souhaité la mort de ma mère, dévoila-t-elle d'une toute petite voix. J'enrageais qu'elle ne m'aime pas, alors j'ai prié pour qu'elle meure, et c'est arrivé. Le choléra les a emportés, mon père et elle. Je suis une meurtrière, Colin, sans l'ombre d'un doute.

— Mais Mary, c'est…

— Tout est ma faute, insista la petite fille avec un regard noir.

Elle ne tenait pas à ce qu'il cherche à la consoler. Elle se savait coupable, et allait devoir vivre avec le poids de ses actes.

— Fort bien, répliqua très vite Colin. Si tu le dis, je… je te crois. (Il fut pris d'un accès de panique soudain.) Mais si tu me conduis au jardin, tu vas me tuer moi aussi !

— Je ne t'emmène pas au jardin, rectifia Mary. Je te conduis dans *cette chambre*. (Du doigt, elle montra la chambre aux peintures murales.) Il faut que tu voies quelque chose…

Et elle fit franchir le seuil de la chambre au fauteuil roulant. Colin contempla les peintures tandis que Mary actionnait la tige en bois qui ouvrait la chambre secrète.

— Quel est cet endroit ? demanda, éberlué, Colin, quand sa cousine le fit entrer dans la chambre scintillante.

Le clair de lune éclairait les toiles d'araignées argentées ; les pierres précieuses serties sur les robes chatoyaient.

Découvrant ce spectacle, Colin sentit ses épaules se crisper. Et c'est d'une voix plus forte qu'il demanda :

— Est-ce l'ancienne chambre de ma mère ? Je ne m'y plais pas. Raccompagne-moi dans la mienne.

— Attends ! insista Mary en se précipitant vers le tas de photographies. Il faut absolument que tu voies ceci. J'avais trois ans quand ta mère est morte, et nous avons à peu près le même âge, toi et moi. Gardes-tu des souvenirs de cette époque ?

— Je ne sais pas et je m'en moque. Ramène-moi.

— Colin ! Tout ce que je te demande, c'est de regarder ces photos. N'aie pas peur. (Le garçon détournait le regard.) Elles vont te plaire. On y voit ta mère et la mienne, ensemble. Regarde donc.

Elle lui présenta les premiers clichés, et s'attarda sur celui où on les voyait enfants. Le garçonnet mince et ténébreux ; la fillette un peu plus petite, ses cheveux coupés au bol. Ils tenaient leurs mères par la main.

— C'est nous, déclara Mary dans un souffle. Au début, je n'y comprenais rien, car je croyais n'avoir jamais vécu qu'aux Indes, mais je pense à présent que ma mère a dû m'amener ici quand la tienne était souffrante. Martha m'a révélé qu'elles étaient très proches. Maman aura voulu voir sa jumelle une dernière fois avant que celle-ci ne meure. Par la suite, elle n'a plus supporté d'aborder le sujet, aussi personne ne m'en a-t-il parlé. N'est-il pas incroyable, Colin, que nous nous soyons rencontrés enfants et que nous n'en gardions aucun souvenir, l'un comme l'autre ? Et puis, regarde… Je crois que nous avons visité le jardin secret !

La main de Colin se mit à trembler. Il repoussa la photographie.

— Je ne veux pas la voir, prononça-t-il d'une voix chevrotante.

— Mais n'est-ce pas extraordinaire ? le pressa Mary, les yeux brillants. Et sais-tu ce qui l'est davantage encore ? Sur cette photo, tu marches, Colin. Tu n'es pas dans un fauteuil roulant, tu n'as pas de bosse, tu ne sembles aucunement malade. Vois donc…

— Non ! s'exclama Colin en repoussant la photo qu'elle tentait de lui poser sur les genoux. Non. Non. Non ! J'ai dit que je ne voulais pas la voir. Tu cherches uniquement à me faire du mal. Tu es jalouse parce que ma mère m'aimait et que la tienne ne t'aimait pas !

Prise d'une colère brusque, Mary faillit gifler son cousin. Elle se retint d'extrême justesse, mais le garçon hurlait déjà. Mary lui plaqua une main sur la bouche, de crainte qu'on ne l'entende. Les deux jeunes gens se débattaient, lorsque Colin perdit l'équilibre et tomba de son fauteuil, entraînant Mary avec lui et renversant au passage un mannequin. Celui-ci percuta le mannequin voisin. Les deux tombèrent, éparpillant les vêtements alentour.

Mary se rassit, un peu hébétée ; à ce moment, elle crut voir les silhouettes floues de sa mère et de Grace se pencher sur Colin, inquiètes. Elle haleta – les fantômes disparurent.

— Colin ? glapit Mary.

Son cousin gisait par terre, immobile, le visage blême, les yeux fermés. Elle rampa jusqu'à lui.

— Colin, tu n'as rien ? Colin ?

Le garçon rouvrit les yeux. Une vague de soulagement emporta Mary. Elle avait bien cru l'avoir tué ! Elle s'agenouilla près de lui et l'aida à se rasseoir.

— Où as-tu mal ? s'inquiéta-t-elle. Où… (Elle se tut lorsqu'un détail lui sauta aux yeux.) Ton dos, Colin ! (Elle regarda de plus près.) Tu n'as pas de bosse. Il est aussi droit que le mien.

— Mais non, enfin, gronda le garçon.

— Je t'assure, insista Mary. (Elle lui releva son haut de pyjama.) Je jure sur le souvenir de ta mère que tu n'as pas de bosse. Ton dos est parfaitement normal.

Colin la fixa d'un regard incrédule.

— Mais mon père m'a dit… (Il n'acheva pas sa phrase.) Non. Cette bosse est la raison pour laquelle il me fait prendre mon médicament, celui qui me brûle et me tourmente. Si je n'ai pas de bosse, à quoi cela rime-t-il ?

Mary le fixait sans rien dire. Colin avait raison : cela ne rimait à rien.

Tout en retournant ces questions dans sa tête, elle aida son cousin à remonter dans son fauteuil. Son dos paraissait normal, certes, mais ses jambes n'étaient manifestement pas en état de supporter son poids. La manœuvre fut plus que délicate. Elle parvint malgré tout à installer le garçon.

Légèrement essoufflés, tous deux inspectèrent la chambre, puis échangèrent un regard. Et un sourire.

— Je suis désolée, déclara très sincèrement Mary. Je n'aurais pas cru que cette visite te bouleverserait autant.

— C'est pénible, reconnut Colin, de revoir les affaires de ma mère.

Mary marqua une pause avant d'avouer :

— Je... j'ai vu ta mère et la mienne. (Colin se tourna vivement vers elle.) À l'instant. Quand tu es tombé. Elles étaient penchées sur toi. Il me semble avoir déjà vu leurs fantômes. J'avais cru que mon imagination me jouait un tour, mais je suis à présent sûre du contraire. (Elle lança un regard grave à son cousin.) Si tu prétends que je mens...

— Je n'en ferai rien, la coupa celui-ci. Parce que je ne pense pas que tu mentes. Je ne... je n'en ai jamais parlé à personne, Mary, mais quand les soldats étaient ici, et que je les entendais crier, moi aussi je voyais le fantôme de ma mère. Elle apparaissait près de moi. Chaque fois, il me semblait qu'elle venait me réconforter parce qu'elle savait que j'avais peur.

— Et ma mère se joint désormais à elle, ajouta Mary d'un air songeur.

Colin hésita un instant, puis il prit sa cousine par la main et, ensemble, ils contemplèrent la chambre secrète. Une chambre gorgée de souvenirs. Les souvenirs des jumelles qui étaient tout l'une pour l'autre ; les souvenirs d'une maison qui était jadis bien différente.

« Remplie de lumière, de rires et de bonheur, songea Mary à qui les paroles de Martha revenaient en mémoire. Et à présent ce n'est plus qu'une prison remplie de secrets. »

Un nuage éclipsa alors la lune. Mary aperçut les silhouettes spectrales de sa mère et de sa tante, côte à côte, à la fenêtre, qui admiraient le jardin. Elles pivotèrent sur elles-mêmes et l'observèrent, sans dire un mot, mais avec comme une supplique dans le regard. Cette fois, Mary n'éprouva aucune crainte – uniquement de la curiosité.

— Que voulez-vous ? leur murmura-t-elle. Qu'attendez-vous de moi ?

Au même instant, le nuage passa, la lune retrouva son éclat et les silhouettes se dissipèrent, ne laissant que des rayons argentés sur le sol.

CHAPITRE QUATORZE

Le secret du rouge-gorge

Le lendemain, quand Mary voulut sortir, elle passa devant la bibliothèque, où elle découvrit son oncle en train de contempler les portraits de son épouse.

— À quoi bon les conserver ? l'entendit-elle marmonner.

Mary poursuivit sa route mais, sitôt sortie du manoir, elle songea à lui. C'était un homme bien étrange. Pourquoi voulait-il se débarrasser des photos de son épouse ? Pourquoi enfermait-il Colin dans sa chambre ? Pourquoi l'empêchait-il de sortir ? Pourquoi lui racontait-il qu'il était bossu ?

« Détesterait-il son fils ? s'interrogea Mary. Après tout, il n'est pas allé le consoler lorsqu'il sanglotait de douleur, et il l'oblige à prendre un médicament qu'il ne peut pas supporter. »

Mais dans le même temps, le souvenir de l'expression qu'avait eue son oncle lorsqu'il hésitait à la porte de Colin lui revint. Cet homme lui avait paru torturé. Mary secoua la tête. Pourquoi s'inquiéter autant mais refuser d'entrer consoler Colin ? C'était à n'y rien comprendre. « Cette maison renferme trop de secrets », songea Mary.

Un coup d'œil par-dessus son épaule lui permit de voir Mme Medlock à une fenêtre du rez-de-chaussée.

La petite fille poursuivit son chemin et, trois minutes plus tard, aperçut la gouvernante qui sortait du manoir. Mary s'enfonça entre les arbres. À l'abri des regards indiscrets, elle grimpa au sommet d'un vieil if. Et guetta. Comme de juste, Mme Medlock apparut bientôt sur le sentier, qu'elle arpentait d'un bon pas, en scrutant à droite et à gauche.

« On dirait bien que vous m'espionnez, se dit Mary. Mais pour quelle raison… ? »

Elle attendit que la gouvernante ait disparu pour redescendre de son perchoir et courir au grand mur. Elle avait hâte de retrouver le jardin, s'inquiétant pour le chien.

Tandis qu'elle se hissait une fois encore par-dessus le mur, Mary eut un éclair de génie : n'existait-il pas une porte donnant accès au jardin ? La chose lui semblait couler de source.

« Je dois à tout prix trouver la véritable entrée », décida-t-elle.

Chemin faisant, Mary avisa de jeunes feuilles vertes. Son cœur s'emballa. Le printemps approchait, le jardin semblait reprendre vie.

« Je pourrais désherber un peu, songea-t-elle tandis que la magie des lieux semblait guider ses pas vers les statues. Je pourrais aussi éclaircir les sous-bois. Rendre aux parterres l'aspect qu'ils avaient sur la photographie de mon enfance. »

Elle sautillait de joie à ces pensées quand elle aperçut Dickon dans le temple. Il avait ôté sa grosse veste d'hiver, et coupait des ronces avec son couteau. La veille, il lui avait appris à siffler, alors elle s'y employa pour lui signaler son arrivée. Le garçon regarda alentour et leva la main pour la saluer.

— L'as-tu vu ? demanda Mary, tout angoissée, en accourant. Va-t-il… mieux ?

Un bruissement de feuilles se fit entendre et le chien sortit des buissons derrière Dickon. Il poussa un jappement joyeux et bondit vers Mary.

— Il va mieux ! s'écria la petite fille qui se mit à genoux.

Le chien s'ébattait autour d'elle en agitant la queue. Elle le caressa et lui tapota les flancs.

— Il boite encore un peu, annonça Dickon lorsqu'il les rejoignit. Mais il arrive à s'appuyer sur sa patte.

— Le jardin l'a soigné, affirma Mary, les yeux brillants.

— Avec un petit coup de main, sourit le garçon.

— Non, Dickon. Ce jardin est magique ! Il guérit les hommes – et les chiens.

Mary promena un regard plein d'une admiration nouvelle sur le jardin abandonné, le temple et les statues. Le chien aboya et elle aboya en retour.

— Qu'est-ce qui te prend ? s'amusa Dickon.

— Je suis un yorkshire-terrier ! gloussa Mary.

Son compagnon pouffa puis aboya à son tour.

— Alors moi aussi ! déclara-t-il.

Mary se mit à courir en rond tout en aboyant, et le chien l'imita.

— Suis-moi ! s'écria-t-elle soudain, et elle prit Dickon par la main.

— Pourquoi ? Où va-t-on ?

— Tais-toi et cours ! intima Mary.

Et elle partit en trombe, tout au bonheur qui bouillonnait en elle, tout à la simple joie de courir. Le chien gambadait à sa hauteur, et elle entendait les bottes de Dickon qui martelaient le sol derrière eux. Tandis qu'ils couraient, de nouvelles pousses semblaient surgir de terre, s'enroulaient autour des colonnes du temple, les bourgeons donnaient des fleurs rouge et jaune vif, à mesure que le jardin réagissait à la joie des trois individus.

Le soleil caressait le visage de Mary qui ouvrit les bras en grand, effleurant les plantes dans sa course. Le printemps venait de faire irruption dans son jardin et, partout, la végétation refleurissait. Myosotis bleus, immenses lupins orange et azalées rouges ressuscitaient. Des fleurs roses et violettes pointaient sur les rhododendrons vert foncé.

Un magnolia se couvrit de pétales blancs. Les bourgeons semblaient s'ouvrir au contact des doigts des enfants.

Ceux-ci et le chien passèrent la barrière de fougères géantes et parvinrent au ruisseau. Ils le franchirent, après quoi ils doublèrent le temple et coururent encore. Quand ils furent à bout de forces, ils se laissèrent tomber dans les hautes herbes près de la statue brisée où Mary avait découvert la clé. Le chien s'allongea entre eux, pantelant. Mary contemplait le ciel bleu vif. Son sang donnait l'impression de vibrer dans ses veines. Un pépiement lui parvint, et elle aperçut le rouge-gorge qui tournoyait au-dessus d'elle. Lorsqu'elle se releva sur les coudes, l'oiseau se posa sur son genou puis sautilla jusqu'à sa main. Mary le souleva délicatement.

Le rouge-gorge gazouilla comme pour lui communiquer une affaire importante.

— Tu as un ami ? dit Dickon avec un sourire.

— Je l'ai rencontré lors de ma première visite, confirma Mary en observant l'oiseau. Tu m'as montré où était la clé. Essaies-tu encore de me dire quelque chose ?

Le rouge-gorge chanta plus fort.

Mary plissa le front. Qu'attendait-il d'elle ? Une réponse lui vint à l'esprit et, aussitôt, de sa main libre elle sortit la clé de sa poche. Le rouge-gorge pépia encore et se mit à sautiller.

— Je crois qu'il me demande d'aller trouver la porte du jardin – celle qu'ouvre cette clé.

Une bourrasque balaya le jardin.

— Tu vois ! se réjouit la fillette. Le jardin lui-même est d'accord avec moi !

Le rouge-gorge s'envola, décrivit un cercle au-dessus des enfants puis alla se percher sur une autre statue.

— Suivons-le ! décida Mary.

Dickon haussa les épaules, mais lui emboîta malgré tout le pas.

L'oiseau vola jusqu'au grand mur.

— Il faut peut-être chercher la porte de l'autre côté, crut deviner Mary. Oui, je crois que c'est ce qu'il veut dire.

Là encore, Dickon haussa les épaules de nouveau, et de nouveau la suivit sans broncher. Ensemble, ils escaladèrent le mur puis en explorèrent le tracé de l'autre côté. Le rouge-gorge au-dessus de leurs têtes, le chien à leurs pieds, ils cheminaient depuis un moment quand Mary eut l'envie de raconter à Dickon l'histoire de Rama, de Sita et du dieu singe Hanuman. Le garçon l'écouta en hochant la tête à l'occasion.

— Alors ? le relança Mary quand elle eut terminé. L'histoire t'a-t-elle plu, Dickon ?

— J'aime bien l'idée d'un singe qui vole, déclara le garçon.

Mary sourit. Au même instant, le rouge-gorge alla s'accrocher au rideau de lierre qui dissimulait le mur, et il gazouilla bien fort. Une bourrasque souleva le feuillage, révélant une porte métallique en dessous.

— Dickon ! s'étouffa Mary en écartant déjà la végétation. Une porte ! La porte du jardin !

Dickon lui prêta main-forte, jusqu'à ce qu'ils aient dégagé la porte. Mary enfonça alors la clé dans la serrure. Il lui fallut forcer pour qu'elle tourne, mais bientôt un déclic se produisit. Mary actionna la poignée, la porte s'ouvrit.

— C'est par ici qu'on entre, dit-elle à Dickon, toute ravie. C'est ici que le rouge-gorge voulait nous conduire.

L'oiseau se remit à tournoyer autour d'elle en pépiant de joie.

Mary était tout exaltée. Un plan se dessinait dans son esprit. La porte était suffisamment large pour qu'un fauteuil roulant y passe. Certes, Colin lui avait dit qu'il détestait sortir, que le grand air était dangereux pour lui, mais elle était convaincue du contraire. Si seulement elle pouvait le conduire au jardin, peut-être qu'il commencerait alors à se sentir mieux. Peut-être… mais peut-être seulement… la magie des lieux le guérirait comme elle avait guéri le chien.

— Oh, Dickon ! se réjouit Mary. Cette porte va peut-être tout changer !

CHAPITRE QUINZE

Les risques

Mary révéla son plan à Dickon, et ils regagnèrent aussitôt le manoir. Après être entrés discrètement par la porte de derrière, ils montèrent l'escalier et parcoururent les couloirs. Mary savait que son plan était risqué, que Colin pouvait très bien refuser d'y prendre part, mais elle tenait coûte que coûte à tenter sa chance.

Quand ils furent dans l'aile de la maison où se trouvait la chambre de Colin, les deux enfants redoublèrent de précautions. Mary alla s'assurer que la voie était libre au bout du couloir, puis elle fit signe à Dickon de la rejoindre. Celui-ci la doubla et courut inspecter une pièce dont la porte était ouverte. Il indiqua ensuite à Mary de le rejoindre, et ils se faufilèrent ainsi, à tour de rôle, jusqu'à la chambre de Colin. Ils y étaient presque, lorsque Mary entendit une poignée tourner. Elle fit signe à son complice, avec qui elle se réfugia dans une pièce déserte, osant tout juste respirer. Mary hasarda ensuite un coup d'œil dans le couloir et aperçut Mme Medlock qui s'éloignait sans soupçonner leur présence.

Les deux espions patientèrent encore un peu avant de franchir les derniers mètres qui les séparaient de la chambre de Colin. La porte était fermée à clé. Mary actionna la poignée et entendit Colin demander :

— Qui est là ? C'est la fille, n'est-ce pas ?

— Je m'appelle Mary et tu le sais parfaitement ! s'insurgea l'intéressée.

— Je ne veux pas de toi ici ! lui répliqua son cousin. Je ne veux pas te voir. Tu es cruelle.

Mary aurait bien tapé du pied, en signe de frustration.

— Nous connaissons tous deux le refrain, Colin, dit-elle. Tu vas crier. Je vais crier. Et cela n'apportera rien de bon !

Le garçon se mit justement à crier. Des bruits de pas pressés résonnèrent dans l'escalier, au bout du couloir. Mary entraîna aussitôt Dickon vers la porte la plus proche et en testa la poignée – elle était fermée à clé.

La petite fille se résignait déjà à ce que Mme Medlock les surprenne, quand… Martha parut en haut des marches. Elle aperçut Mary et Dickon et resta bouche bée.

— Que faites-vous là ? s'indigna-t-elle.

— Je suis au courant, pour Colin, se hâta de répondre Mary. Nous sommes amis.

Martha écarquilla les yeux, stupéfaite, puis se tourna vers Dickon.

— S'ils te surprennent ici, tu seras fouetté.

— On vient aider Colin, Martha, expliqua Mary. Le jeu en vaut la chandelle.

À sa grande satisfaction, elle vit Dickon acquiescer.

Martha, elle, fronçait les sourcils.

— Tout ce que vous risquez, mademoiselle, c'est d'être envoyée en pension. Nous autres, nous risquons davantage – bien davantage. Si quelqu'un découvre Dickon au manoir, nous serons renvoyés et je perdrai mes gages.

D'autres pas retentirent.

— Que se passe-t-il ? questionna Mme Medlock.

La gouvernante parut au bout du couloir à l'instant où Mary et Dickon se plaquaient contre la porte close.

Martha hésita d'abord, puis elle se dirigea vers Mme Medlock, faisant écran de son corps entre elle et les intrus.

— Ne vous tracassez pas, madame Medlock, lança-t-elle. Ce n'est que le jeune maître. Je m'occupe de lui.

— Il ne réclame rien à cette heure-ci, d'ordinaire, répliqua la gouvernante, les sourcils froncés.

— Je m'en occupe, insista Martha. Retournez donc à vos corvées, si vous le souhaitez.

Mme Medlock hocha la tête avec gratitude et ajouta :

— Soit. Merci, Martha. J'ai en effet beaucoup à faire.

Et elle repartit d'un pas vif.

Mary poussa un soupir de soulagement et vit que Martha se détendait, elle aussi.

— Je dois voir mon cousin, plaida-t-elle.

Mme Medlock risquait de revenir d'un instant à l'autre, il n'y avait donc pas une minute à perdre.

— Je pense savoir comment l'aider à se sentir mieux, insista-t-elle.

Martha doutait encore.

— Je vous en conjure ! l'implora Mary.

La servante hésita avant de finalement céder et de déverrouiller la porte. Sitôt qu'il vit Mary, Colin voulut crier.

— Si tu fais cela, tu ne me reverras plus jamais ! le devança la fillette. La décision t'appartient.

Colin lut la colère dans les yeux de sa cousine et se retint.

— Bien, enchaîna Mary d'une voix plus douce. Je voudrais te présenter quelqu'un. (Elle fit signe à Dickon d'entrer ; le garçon s'avança de mauvaise grâce.) Voici Dickon.

— Bonjour, balbutia l'intéressé.

Colin l'observa des pieds à la tête puis commenta :

— Il a fière allure.

— Et il sait siffler, ajouta crânement Mary. Tous les animaux sont ses amis. (Elle jeta un coup d'œil à Martha qui observait la scène, les yeux grands ouverts d'étonnement.) À quelle heure devez-vous revenir voir mon cousin, Martha ?

— Vers seize heures, révéla la servante. (Elle vit que Mary observait le fauteuil roulant.) Qu'est-ce que vous avez en tête, mademoiselle ? demanda-t-elle d'un ton angoissé.

Sans répondre directement à sa question, Mary affirma :

— Il sera rentré pour seize heures.

— Oh, non ! voulut se défendre Colin, je n'irai nulle part avec toi.

Martha se tourna vers Dickon.

— Tu sais ce que tu risques ? l'interrogea-t-elle.

— Oui, acquiesça son frère.

Martha se mordit la lèvre puis quitta la chambre, la mort dans l'âme.

— Tu viens avec nous, déclara Mary à Colin. Dickon et moi allons te conduire au jardin secret.

— Tu veux me faire sortir ? se désespéra Colin. Jamais. C'est hors de question !

— Prends-le par les bras, Dickon, je m'occupe de ses jambes ; à nous deux, nous allons le porter.

Colin poussa un cri, que Mary étouffa aussitôt.

— Ou bien, proposa cette dernière, tu peux nous laisser t'installer dans ton fauteuil et te conduire en toute sécurité. Je te promets que nous ne te tuerons pas.

— Tu ne peux rien promettre de tel ! paniqua Colin. Je te l'ai déjà dit… mes jambes ne m'obéissent pas, et j'ai des allergies ! Au pollen, aux fleurs…

— Les fleurs ne vont pas te tuer, le coupa Mary en haussant le ton. En revanche, si tu ne viens pas avec nous, tu mourras dans ce lit, sans avoir jamais rien vu d'autre

dans ta vie que ce papier peint. Est-ce ce que tu sou-
haites ? Vraiment ?

— Non, marmonna Colin.

Mary se radoucit alors.

— Dans ce cas, permets-nous de te conduire au jardin,
s'il te plaît ?

CHAPITRE SEIZE

Colin au jardin ?

Faire sortir Colin du manoir dans son fauteuil rou-lant était une opération très risquée. Les trois enfants faillirent croiser Mme Medlock dans un couloir, et M. Craven dans un autre. La cuisinière, Mme Pitcher elle-même, manqua de les surprendre ! Cependant, chaque fois, ils parvinrent à se cacher au tout dernier moment. Ce fut comme si la maison elle-même leur venait en aide. Ils utilisèrent le monte-charge pour mener Colin au rez-de-chaussée, puis sortirent par une porte de der-rière. Mary poussait maintenant le fauteuil dans la pelouse de Misselthwaite, en croisant les doigts pour que Mme Medlock ne les épie pas par une fenêtre.

— Aïe ! Ouille ! s'exclamait Colin, les mains rivées aux accoudoirs du fauteuil qui cahotait. Tu vas trop vite, Mary !

Mais celle-ci ignorait ses cris. Elle l'avait aidé à enfiler une robe de chambre épaisse, lui avait passé une écharpe autour du cou, l'avait coiffé d'un bonnet et avait disposé un plaid sur ses jambes. Une petite sortie n'allait pas le tuer, mais elle ne voulait pas risquer qu'il ne s'enrhume.

Quand ils eurent gagné le couvert des arbres, Mary s'arrêta pour reprendre son souffle. Colin se mit alors à tousser et porta une main à sa poitrine.

— C'est le pollen ! expliqua-t-il. Ça va me tuer !

— Colin ! (Mary le fixa de son regard le plus sérieux.) Inspire.

Le garçon obéit.

— Es-tu mort ?

Colin secoua imperceptiblement la tête.

— Le pollen ne va pas te tuer, assura Mary. Le rhume des foins te fera peut-être éternuer, ou bien il t'essoufflera un peu, mais c'est tout. Quand nous serons plus en sécurité, nous déterminerons ce qui t'indispose et ce qui ne t'indispose pas. Mais en attendant, suis mon exemple et tâche de ne pas faire de difficultés. Cela te convient-il ?

L'air toujours revêche, Colin hocha toutefois la tête.

— Bien, approuva Mary. Dans ce cas nous pouvons continuer. Un peu moins vite, maintenant que nous sommes hors de vue du manoir.

À l'approche du jardin, Mary remit la clé à Dickon qui alla ouvrir la porte.

— Je vais te demander de bien te cramponner, annonça Mary à Colin, quand ils furent devant le mur.

— Pourquoi ? s'inquiéta son cousin.

Pour toute réponse, Mary redoubla d'efforts, le fauteuil braqué vers le rideau de lierre. Elle prenait de la vitesse afin de franchir l'obstacle.

— Mary ! s'étrangla Colin. Stop ! Le mur ! Le mur !

Il se couvrit la tête, se prépara au choc… quand soudain la porte s'ouvrit. Mary et lui transpercèrent le rideau de lierre, doublèrent Dickon et débouchèrent dans le jardin.

Un petit sourire aux lèvres, Mary ralentit alors. Au-dessus de leurs têtes une canopée de cytises jaunes formait un tunnel s'étirant à perte de vue. Les fleurs renvoyaient la lumière, projetaient un éclat doré sur les visages des enfants. Colin admirait le spectacle, émerveillé, tandis que Mary lui faisait traverser le tunnel. Et bientôt, le jardin s'ouvrit devant eux.

— Tu vois, se réjouit la fillette, la magie est avec nous.

Le rouge-gorge vint voleter autour de la tête de Colin en pépiant gaiement.

— Alors ? demanda Mary.

— C'est… c'est…

Fasciné par le spectacle, Colin ne put en dire plus.

Mary sentit une onde de bonheur se diffuser en elle, face à la mine incrédule de son cousin.

— Je sais, reprit-elle. Et tu n'as encore rien vu !

Elle lui fit visiter le jardin, lui montra les statues et les parterres garnis de crocus et de jonquilles aux couleurs vives qui avaient poussé entre les mauvaises herbes.

Dickon et elle conduisirent le malade au bosquet des plantes gigantesques en forme de parapluie, puis au temple en ruine avec son bassin chatoyant.

— Je veux sentir l'herbe, réclama Colin.

Mary et Dickon l'aidèrent à descendre de son fauteuil, après quoi il s'assit sur l'herbe tendre et s'adossa à un pilier du temple. Dickon ramassa ensuite sa fourche, et Mary se mit à désherber les parterres. Colin en profita pour interroger Dickon sur les différentes fleurs.

— Comment appelle-t-on celle-ci ?

— C'est un hortensia.

— Et celle-là ?

— Millepertuis.

Colin répéta lentement ce nom afin de le savourer.

Mary entendit soudain de l'agitation dans un buisson, non loin d'eux.

— Colin, dit-elle, nous avons là un bon ami dont je voudrais que tu fasses la connaissance. (Elle sortit de sa poche une tranche de spam et la lui donna.) Tends-la, et il viendra.

— Il est là ? dit Colin à voix basse. Le chien ?

— Tends-lui cette tranche. Il veut te dire bonjour.

Colin fit ce qu'elle lui demandait, et le chien surgit de derrière le buisson – sous le regard fasciné du garçon. L'animal l'observa un moment, puis lui arracha la tranche de viande.

Colin glapit de surprise et de ravissement.

— Il me l'a prise !

— En effet, dit Mary avec un sourire.

Le chien s'assit près de Colin et lui lécha les doigts.

— Il me lèche ! s'exclama l'enfant, à mi-chemin entre panique et plaisir.

— C'est tout lui… fit Mary en adressant un coup d'œil à Dickon.

— Ça chatouille, commenta Colin. (Tout à coup, il retira sa main, inquiet.) Il n'est pas malade, au moins ?

— Pas à ma connaissance, le rassura Dickon.

L'invalide se détendit, caressa les oreilles du chien.

— Comment s'appelle-t-il ?

— Il s'appelait Jemima… révéla Dickon avec un regard sournois à Mary.

La petite fille ne s'offusqua pas et précisa :

— J'ignorais que c'était un mâle, au départ. Nous ne lui avons pas encore trouvé de nom. Nous l'appelons simplement… le chien.

— Il mérite mieux, affirma Colin. On pourrait peut-être… (Il plissa le front.) Oh ! je ne sais pas. Comment s'appelait ton père, Mary ?

— Marcus, répondit l'intéressée, mal à l'aise. Mais je préférerais que nous trouvions autre chose.

— Nous ne prendrons pas le prénom de mon père non plus, décida Colin. Je n'en reviens pas qu'il me force à garder la chambre depuis tant d'années, alors que sortir ne me fait manifestement aucun mal. Et toi, Dickon ? Ton père, comment s'appelle-t-il ?

— Hector, répondit le garçon, tête basse. C'était un homme brave.

Mary et Colin le dévisagèrent.

— *C'était…* répéta la petite fille. Tu veux dire qu'il est mort ?

Dickon acquiesça brièvement.

— Verrais-tu un inconvénient à ce que nous baptisions le chien en hommage à ton père ? demanda Mary.

Dickon secoua la tête et sourit.

— Voilà une affaire réglée, conclut Colin.

Le chien s'allongea près de lui, et le garçon lui posa la main sur la tête.

— Chien, tu t'appelles désormais Hector. Tu connais déjà Mary – et Dickon. Moi, je suis Colin, ton nouvel ami.

L'animal aboya comme s'il avait compris. Mary, Dickon et Colin éclatèrent de rire, puis aboyèrent en retour. Le soleil toucha les papillons brodés sur la robe de Mary et, un instant, ils parurent battre des ailes pour de vrai, et voleter autour d'elle avant de retrouver leurs places sur le tissu.

À voir le bonheur sur les traits de son cousin, la fillette sentit son cœur se gonfler comme un ballon. « Oui, songea-t-elle en se rappelant la mise en garde de Martha, le jeu en valait bien la chandelle. »

Au-dessus de sa tête, le rouge-gorge gazouilla comme pour lui donner raison.

CHAPITRE DIX-SEPT

En flagrant délit !

Mary et Dickon parvinrent à reconduire Colin au manoir pour seize heures, après quoi la petite fille retourna vers le jardin. Elle suivait un tunnel d'ifs lorsqu'elle entendit une brindille casser derrière elle. D'un coup d'œil par-dessus son épaule, elle avisa Mme Medlock qui se réfugiait derrière un arbre. Mary sourit intérieurement avant de s'élancer entre les troncs. Elle entendit l'exclamation de colère que poussa la gouvernante et pressa encore le pas. Lorsqu'elle fut hors de sa vue, elle grimpa dans un sapin, s'assit sur une branche et se transforma en statue.

Quelques instants plus tard, Mme Medlock, à bout de souffle, arriva au pied de l'arbre. Elle s'arrêta, regarda alentour, visiblement exaspérée. Alors qu'elle s'apprêtait à faire demi-tour pour regagner la demeure, Mary lui lâcha une pomme de pin sur la tête. Celle-ci rebondit sur la chevelure grise, et Mary dut réprimer un rire.

Une fois Mme Medlock partie, elle descendit de son perchoir et s'en alla, toute guillerette. Elle sortit la clé de sa poche quand elle fut près de la porte. À cet instant précis, Mme Medlock surgit du couvert des arbres et la saisit par le bras.

— Tu penses peut-être pouvoir sortir en douce et faire ce qui te chante ?

— Q-quoi ? bégaya Mary, prise de court.

— Petite sauvageonne. Je savais bien que tu cachais quelque chose !

« La clé », frémit Mary. Elle parvint *in extremis* à la fourrer dans sa poche.

— Je ne vois pas à quoi vous faites allusion…

— Toi et tes cachotteries. Tes indiscrétions. Ta curiosité…

La gouvernante s'interrompit, les doigts toujours serrés autour du bras de Mary.

Celle-ci prit peur. Mme Medlock semblait comme folle.

— Madame Medlock, j'ignore ce que vous vous êtes imaginé, mais je vous assure que…

— Tu n'es qu'une vulgaire voleuse ! la coupa la femme.

Sous le choc, Mary ne sut quoi répondre. Qu'entendait-elle par là ? Mary n'avait jamais rien volé de sa vie !

— Et dire que le maître a eu la bonté de t'accueillir – c'est comme ça que tu le remercies ?

La gouvernante retira de sa poche le collier de perles ! Mary avait complètement oublié de le rapporter dans la chambre secrète.

— Je… bredouilla la coupable. Je comptais le rendre.

Mme Medlock la toisa d'un œil noir.

— Le maître attend !

✻

Mme Medlock reconduisit Mary au manoir. L'enfant préparait sa défense. Elle allait devoir convaincre son oncle qu'elle n'avait jamais eu l'intention de garder les perles. Il allait sans nul doute l'écouter, la comprendre ? Hélas ! elle découvrit son oncle sur les marches du grand escalier, la mine grave, le regard empli de fureur.

— Ainsi donc, vous l'avez retrouvée, madame Medlock ? prononça le maître des lieux.

La gouvernante hocha la tête dans un geste de triomphe.

— Elle folâtrait dans le parc, révéla-t-elle. Voyez un peu dans quel état elle s'est mise.

— Faites-la monter, ordonna M. Craven en montrant l'exemple.

— Mon oncle… monsieur, dit Mary en essayant de se dégager de l'emprise de Mme Medlock. Je n'ai jamais voulu prendre ces perles. Je comptais les remettre à leur place.

— Où les as-tu trouvées ? lui renvoya son oncle.

Elle hésita. Une petite voix lui soufflait que, si elle avouait être entrée dans la chambre de tante Grace, elle s'attirerait davantage d'ennuis.

— Sous une latte, mentit-elle.

— Laquelle ?

— Je… je ne sais plus. (Les larmes lui montèrent aux yeux.) Je vous demande pardon.

— Sais-tu ce que ces perles représentent pour moi ? aboya son oncle.

Mary hocha la tête.

— Elle a fureté partout, intervint Mme Medlock. Y compris dans la chambre du petit. Ce matin, j'ai noté que le fauteuil avait été déplacé. Ç'a éveillé mes soupçons, alors je suis allée fouiller chez elle, et j'ai découvert les perles.

— Mon fils ? Elle a vu mon fils ? (M. Craven riva son regard sur celui de la gouvernante, oubliant Mary pour un temps.) Depuis quand a-t-elle libre accès à toute la demeure, madame Medlock ?

— Je vous avais prévenu, monsieur : une petite fille au manoir… se défendit la gouvernante. Ça oui, je vous avais prévenu.

M. Craven se retourna alors vers Mary :

— N'étais-tu pas censée rester à l'écart de certaines parties de la maison ?

— Colin est mon ami… voulut argumenter l'accusée, mais sa voix la trahit. J'ai cru que… si je lui redonnais goût à la vie, peut-être que…

— Petite sotte ! s'emporta son oncle. Il est faible. La moindre excitation peut lui être fatale.

— Je… je l'ignorais. J'essayais d'arranger les choses, voilà tout. (Mary s'aperçut qu'on l'entraînait vers la chambre de tante Grace. Son cœur se mit à cogner fort.) Où m'emmenez-vous ?

Son oncle la fit entrer dans la pièce aux peintures murales et annonça :

— Je vais te donner une dernière chance, Mary. Cette fois, je te suggère de dire la vérité. Où as-tu trouvé… (Ses lèvres se plissèrent.)… les perles de mon épouse.

Mary ne sut quoi répondre.

— Elles ne pouvaient être qu'en un seul endroit, reprit M. Craven.

Sur ce, il ouvrit la porte dérobée, révélant la chambre cachée. Les deux mannequins renversés étaient toujours sur le flanc, au milieu des vêtements en désordre.

— Oh, petite peste ! qu'as-tu fait là ? chuchota Mme Medlock, horrifiée.

— Excusez-moi ! s'écria Mary en lisant la douleur dans les yeux de son oncle qui découvrait toute cette pagaille.

Sans dire un mot, l'homme alla, d'un pas lent, relever un mannequin, rajuster la robe. Ses mains s'attardèrent sur la soie ; il ferma les yeux, comme si le deuil l'accablait encore.

Mary fondit en larmes. À aucun moment elle n'avait voulu lui faire du mal.

L'homme déglutit puis se tourna vers elle ; ses traits étaient à présent aussi figés que ceux d'une statue.

— Madame Medlock, veuillez chercher un pensionnat qui accueillera ma nièce.

Mary s'avança vers lui pour plaider sa cause :

— Non, pitié, je ne pensais pas à mal !

— Un établissement qui lui inculque le savoir-vivre, poursuivit le maître du manoir, indifférent à sa supplique. En attendant, je ne désire ni la voir ni l'entendre. Ai-je été clair, madame Medlock ?

— Oui, monsieur, acquiesça la gouvernante.

Et tandis qu'elle entraînait Mary vers le couloir, celle-ci adressa un dernier regard à son oncle, effondré au milieu des toilettes éparses. Brisé, seul au monde.

CHAPITRE DIX-HUIT

Mary prisonnière !

Mme Medlock poussa Mary dans sa chambre, puis la petite fille entendit la clé tourner. Elle eut beau secouer la poignée, rien n'y fit, elle était prisonnière.

— Ouvrez immédiatement ! s'indigna-t-elle.

— Pour tes besoins, tu trouveras un pot de chambre sous ton lit, lui indiqua la gouvernante du couloir. Martha t'ouvrira demain matin.

Mary l'entendit s'éloigner.

— Laissez-moi sortir ! s'égosilla-t-elle en agitant la poignée. Je n'ai voulu faire de mal à personne. Je cherchais simplement à rendre service. (Sa colère éclata.) Vous êtes satisfaite, hein ? Je sais que vous l'êtes ! Mais je ne permettrai pas qu'on me chasse, ça non !

De rage, elle balança le cheval à bascule contre la porte. Quand l'objet retomba à l'envers, un compartiment secret s'ouvrit, et des papiers s'en déversèrent.

Mary retint son souffle, la rage fit place au choc. Elle ramassa les papiers. Des lettres, rédigées de la main de sa mère…

Toutes commençaient par la formule « Ma bien chère Grace ».

Mary les feuilleta. Ce faisant, elle s'interrogeait : pourquoi les avoir cachées ? La réponse lui vint à mesure qu'elle découvrait certains passages. Ces lettres étaient celles de deux sœurs qui n'avaient aucun secret l'une pour l'autre. Il y était question de leurs vies, de leurs enfants, de leurs époux – avec un degré d'intimité qu'aucune des deux ne devait vouloir partager avec qui que ce soit d'autre. Mary sauta les passages concernant la vie aux Indes, elle-même et son père pour mieux s'intéresser aux anecdotes sur la maladie de Grace, sur Colin, sur Archie… Archie : qu'un être aussi austère que son oncle puisse être affublé d'un diminutif lui fit tout drôle.

Dehors, le ciel s'assombrissait, le soleil se couchait. Mary alluma sa lampe de chevet afin de poursuivre la lecture au lit. Petit à petit, les pièces du puzzle se mettaient en place, les mystères s'élucidaient. Elle ne releva les yeux que lorsqu'elle perçut des cris étouffés. La gorge nouée, elle manqua de froisser la lettre qu'elle tenait. « Colin. » Il devait se demander pourquoi elle ne venait pas lui rendre visite. Mary se tourna vers la porte close, elle n'avait qu'une envie : sortir.

✳

Elle s'endormit tout habillée et ne se réveilla que lorsque Martha vint lui apporter son plateau. Elle se hâta aussitôt de fourrer les lettres sous sa couverture. Fort heureusement, la domestique était trop occupée à regarder le cheval à bascule renversé pour le remarquer.

— Que s'est-il passé ? demanda Martha.

Sans attendre de réponse, elle releva le cheval et le remit à sa place.

— Mme Medlock enrage après vous, annonça-t-elle à Mary. Pour le petit déjeuner, vous n'avez droit qu'à du pain rassis.

— Je m'en fiche, répliqua fièrement Mary. Combien de temps compte-t-elle me garder prisonnière ?

— Ne dites pas de bêtises. Vous n'êtes pas prisonnière. J'ai ordre de ne pas refermer à clé quand je sortirai. Mais si j'étais vous, je me ferais discrète.

Mary en éprouva un grand soulagement. Elle allait pouvoir retourner au jardin. Revoir Colin et Dickon. Elle bondit hors de son lit et enlaça Martha.

— Lâchez-moi, mademoiselle ! tempêta celle-ci. Vous allez m'étouffer.

Mais quand Mary se dégagea, elle nota que la servante souriait.

— Je vais faire mon lit, déclara-t-elle sitôt qu'elle vit que Martha s'apprêtait à le faire.

— Impossible, mademoiselle, protesta la jeune femme.

— Oh que si. (Mary la poussa vers la porte.) En fait, je vous ordonne de me laisser m'acquitter de cette tâche. Vous pouvez disposer, conclut-elle en lui souriant.

Martha secoua la tête comme si elle ne savait quoi penser, puis elle sortit.

Mary récupéra alors les lettres et les rangea dans sa sacoche. Puis elle se changea, fit son lit de son mieux afin d'éviter des ennuis à Martha. Et elle quitta sa chambre. Elle avait hâte de retrouver le jardin, et de voir si les soupçons que les lettres avaient fait naître en elle étaient fondés. Si tel était le cas, elle venait peut-être de découvrir l'origine de la magie du jardin !

❊

Mary sortit discrètement du manoir et franchit la pelouse. Elle courut quand elle fut parmi les arbres, et arriva bientôt à la porte du jardin. Elle écarta le rideau de lierre puis fila droit à la partie du jardin où se trouvaient les statues et les parterres. Dickon y travaillait déjà : il avait ôté son manteau et désherbait près du temple en fredonnant. Le rouge-gorge était perché sur le manche d'une fourche plantée en terre. Quant au chien, il reniflait aux pieds du garçon. Les plantes formaient une explosion de couleurs printanières : des rouges, des orange, des roses, des violets, des bleus.

Le chien remarqua Mary et courut la saluer.

— Bonjour, lança Dickon à la fillette.

— Bonjour ! répondit-elle sans ralentir sa course, si bien qu'elle dépassa ses amis.

— Hé, où vas-tu ? la retint Dickon.

— Suis-moi ! lui répliqua-t-elle.

Le rouge-gorge voletait autour de sa tête. Elle le laissa la guider, certaine que la magie lui indiquerait où aller. L'oiseau lui fit franchir les fougères géantes et l'entraîna dans un bois épais. Les buissons semblaient se refermer sur Mary, les plantes rampantes s'enroulaient à ses chevilles, les branches lui barraient la route comme si le jardin lui refusait l'accès à cet endroit, mais elle força le passage, à la poursuite du rouge-gorge. Celui-ci pépia fort, comme pour l'encourager. Mary n'était que détermination. Le jardin ne lui avait pas encore révélé tous ses secrets, et elle comptait bien les mettre au jour.

C'est ainsi qu'elle déboucha dans une clairière qu'elle n'avait encore jamais vue. Elle s'arrêta en avisant le chêne qui en occupait le centre. Une vieille balançoire était suspendue à une grosse branche. Le rouge-gorge se posa sur l'arbre et sifflota trois notes complices à Mary.

— Oh ! souffla la fillette.

Elle venait de trouver ce qu'elle recherchait. Elle s'approcha lentement de la balançoire, s'accroupit à côté. Puis elle se tourna vers Dickon, la mine grave.

— C'est ici, murmura-t-elle. C'est ici que tout est arrivé.

Le garçon était visiblement perdu.

— C'est ici que ma tante est venue mourir, précisa Mary.

Le rouge-gorge se posa sur son épaule. Dickon la rejoignit d'un pas prudent, comme si elle était une bête sauvage qu'il craignait d'effrayer.

— Je ne te comprends pas, dit-il.

Mary lui révéla ce que lui avaient appris les lettres :

— Ma tante était atteinte d'un cancer, et ma mère est venue l'accompagner durant ses derniers jours. Elle m'a emmenée, mais je n'en garde aucun souvenir. J'étais toute petite. (Elle lança un coup d'œil à la balançoire.) Dans une lettre, ma mère a écrit qu'elle souhaitait être auprès de Grace quand celle-ci mourrait, et elle savait que cette dernière voulait rendre son dernier souffle ici même, dans ce jardin, près de cet arbre. Ce lieu avait une signification particulière à ses yeux.

La petite fille promena son regard dans la clairière avant d'ajouter :

— C'est ma tante qui a créé ce jardin. Elle a fait pousser les fleurs. Elle a imaginé les statues. Elle a dessiné le temple. À sa mort, je pense que mon oncle a fermé le jardin parce qu'il lui causait trop de peine. (Son regard croisa celui de Dickon.) Je crois que ma tante est responsable de la magie de ce lieu. Elle devait vouloir que j'en trouve la clé afin… (Elle inspira à fond.)… afin que je permette au jardin de soigner son fils.

Du regard, Mary défia Dickon de rire. Mais il n'en fit rien.

— Le temps presse, reprit-elle. Ils vont m'envoyer en pension. Je dois tâcher de voir si le jardin peut bel et bien guérir Colin. Mais je n'y arriverai jamais seule, Dickon. J'ai besoin que tu m'aides.

Le garçon acquiesça d'un geste solennel.

— Dis ce que tu attends de moi, répondit-il.

CHAPITRE DIX-NEUF

Le passé dévoilé

« Si j'arrive à soigner Colin, je me moque du reste, décida Mary en arpentant discrètement les couloirs du manoir, Dickon sur ses talons. Ils peuvent bien m'envoyer en pension et faire ce qui leur chante. »

Par chance, en regardant par une fenêtre, elle aperçut Mme Medlock qui montait en voiture. Une personne en moins à craindre !

Colin les attendait, Dickon et elle.

— Retournons-nous au jardin ? demanda-t-il avec empressement.

— Oui, répondit Mary.

— Pourquoi n'es-tu pas venue me voir cette nuit ? la questionna son cousin d'un ton accusateur alors qu'ils s'engageaient dans le couloir. J'ai attendu et attendu encore, en vain.

— Je n'ai pas pu, expliqua Mary. J'étais enfermée. Ils veulent m'envoyer en pension, Colin !

— En pension ?

La petite fille hocha la tête, dépitée.

— Ton père y est déterminé. Mme Medlock lui a révélé que je te rendais visite, ce qui l'a mis en rage, tout comme le fait que j'avais découvert la chambre de ta mère. Elle était encore en grand désordre.

— Je vais dire à mon père que je ne veux pas que tu partes !

— Je doute que cela porte ses fruits, soupira Mary. Mais n'en parlons plus pour le moment. Ne songeons qu'au jardin.

— À notre jardin ! s'écria gaiement le jeune invalide.

Mary hésita. Ce jardin ne leur appartenait pas – elle le savait désormais –, toutefois elle pressentait que son cousin n'était pas prêt à l'entendre.

Lorsqu'ils furent sur place, elle mit son plan en action. Le ruisseau avait soigné la patte d'Hector. Peut-être allait-il aussi guérir Colin ?

L'idée de « faire trempette » rebuta le garçon.

— L'eau a l'air froide, considéra-t-il avec une moue tandis que ses amis l'aidaient à se déchausser et à retirer quelques vêtements. Je crois que je vais plutôt m'asseoir sur la berge.

— Oh que non ! le découragea Mary. Ne fais pas l'enfant.

Le garçon plissait déjà le front, mais il se reprit et se contenta de soupirer.

— Très bien… grommela-t-il.

Mary et Dickon le plongèrent délicatement dans le courant. Colin retint son souffle.

— Glaciale ! frémit-il. (Les frondes des fougères qui bordaient le cours d'eau parurent frissonner avec lui.) Absolument glaciale. C'est au-dessus de mes forces, avoua-t-il, les yeux écarquillés de douleur, en empoignant Mary par le bras.

— Mais non, allons ! l'encouragea Dickon.

— Je vous assure que si !

— Nous ne te lâcherons pas, lui affirma son compagnon.

Colin regarda tour à tour Dickon et Mary, puis inspira à fond.

— Soit, déclara-t-il avec bravoure tandis que ses amis l'immergeaient un peu plus. Ce n'est pas si terrible, après tout.

Bientôt, il se retrouva assis dans le ruisseau, plongé dans l'eau pure et claire jusqu'aux épaules.

— J'ai réussi ! triompha-t-il, rayonnant. Je l'ai vraiment fait !

Les fougères cessèrent de frissonner quand il sourit.

— Et maintenant, tu vas apprendre à faire la planche, déclara Dickon. Écarte les bras et allonge-toi sur le dos. Mary et moi restons près de toi, précisa-t-il comme Colin hésitait.

Colin s'exécuta, le visage tourné vers le ciel bleu. Lorsqu'il écarta les bras, une expression de joie éclaira ses traits. Dickon adressa un signe de tête à Mary et, ensemble, ils lâchèrent le baigneur.

— À présent, tu flottes seul, annonça Dickon tout en reculant sans bruit avec Mary.

Le sourire de Colin se transforma en rire, ses mains battirent l'eau, éclaboussèrent Mary et Dickon. La petite fille poussa un cri aigu, et Colin s'esclaffa encore plus.

Quand il fut prêt à sortir de l'eau, Mary et Dickon l'aidèrent à se rhabiller, puis ils allèrent s'asseoir auprès du temple. Colin se délecta du contact de l'herbe. Il se mit à arracher des mauvaises herbes autour d'un carré de bulbes colorés, tandis que Dickon et Mary séparaient des plantes un peu trop proches. Tous trois travaillèrent ainsi un moment, dans un silence complice.

— Terminé ! lança soudain Colin. Déplacez-moi, s'il vous plaît.

Mary et Dickon le soulevèrent par les aisselles puis l'installèrent à quelques pas de là. L'infirme se remit à l'ouvrage en fredonnant tout bas. Dickon et Mary échangèrent un sourire.

Ce qui n'échappa pas à Colin.

— Qu'y a-t-il ? s'inquiéta le garçon.

— Rien du tout, lui répondit sa cousine. Ton bonheur fait plaisir à voir, c'est tout.

— Mais nous sommes tous heureux, n'est-ce pas ?

— Et comment ! approuva Dickon.

— Nous sommes des pirates ! tonna Mary.

— Des seigneurs ! ajouta Dickon avec un sourire.

Colin leva les mains au ciel dans un geste théâtral et enchérit :

— Nous sommes les conquérants de ce sublime jardin ! Il nous appartient et nous l'adorons !

— Là, tu te trompes, se hâta de le reprendre Mary.

— Comment cela ?

— Il n'est pas à nous. Notre présence le ravit, certes, mais il a été créé par quelqu'un d'autre, à qui il appartient toujours. (Mary se mordit la lèvre. C'était l'instant décisif : elle devait tout dévoiler à Colin.) Viens. J'ai quelque chose à te montrer.

Dickon lui adressa un regard inquiet.

— Mary… commença-t-il.

— Je n'ai pas le choix, Dickon, répliqua la petite fille. Il doit le voir.

— Voir quoi ? demanda Colin, sur ses gardes.

— Viens, se contenta de conclure Mary.

Dickon et elle poussèrent le fauteuil de Colin. Ils traversèrent ainsi le temple, doublèrent la statue cassée, franchirent le bosquet des plantes parapluies et des arbres titanesques. Le fauteuil cahotait sur les racines. Colin se cramponnait aux accoudoirs. Il ne disait plus un mot. Enfin, le trio parvint à la clairière au grand chêne.

Mary sentit l'air s'immobiliser, comme si le jardin retenait son souffle.

Quand Colin vit le chêne et la balançoire, une grimace horrifiée déforma ses traits. Il devinait la suite.

— Stop ! C'est un ordre, pas un pas de plus !

Mary se figea. Colin scrutait la balançoire, le teint plus livide que jamais.

— Tu sais donc ce qui s'est passé ici, chuchota Mary.

Un muscle tressaillit sur le visage de son cousin.

— On m'a expliqué que ma mère était morte dans sa clairière favorite, où elle avait une balançoire. Est-ce là ?

Mary hocha la tête.

Colin se redressa sur les bras.

— Pourquoi m'avoir conduit ici ? relança-t-il.

— Parce que tu devais voir cet endroit, révéla Mary.

La douleur qu'elle lisait dans les yeux de son cousin la terrassait.

— Comment réagirais-tu, si tu voyais l'endroit où est morte ta mère ? rétorqua Colin.

— Ma mère est morte à l'hôpital, seule et dans de grandes souffrances ! répliqua Mary. Je pensais que tu aimerais savoir que la tienne est morte dans un endroit paisible, dans de plus belles circonstances. Je pensais que cela te ferait du bien !

L'infirme se ratatina dans son fauteuil.

— Eh bien, tu t'es trompée, marmonna-t-il.

Un long silence s'installa. Lorsqu'il reprit la parole, ce fut d'une voix tendue.

— Pourrais-tu aller me cueillir des fleurs, Dickon, s'il te plaît ? Les blanches, là-bas.

Après un coup d'œil inquiet à Mary, le garçon hocha la tête et fit ce qui lui était demandé.

— Et ensuite, pourras-tu me ramener chez moi ? ajouta Colin d'un ton guindé. Je ne tiens pas à rester ici.

— Tu ne comprends rien ! s'emporta Mary. (Son plan lui échappait, elle devait à tout prix reprendre le contrôle.) Colin, ta mère n'a jamais voulu t'abandonner, elle y a été contrainte. Elle est venue mourir ici car c'est un endroit magnifique, et je crois que, en mourant, elle a rendu ce jardin magique. Après tout, il a guéri la patte d'Hector et... (Elle avala sa salive.) Et je crois qu'il pourrait...

— Non ! la coupa Colin, furieux. Ne dis pas ça ! Je te l'interdis ! Je ne voulais pas voir les robes, et je ne veux pas non plus voir tout ceci. Je veux rentrer chez moi !

Mary sombra dans le silence, tandis que Dickon rapportait les fleurs blanches à Colin. Sans un mot, celui-ci les éparpilla sur l'herbe – de vives taches blanches au milieu de la verdure.

Puis ses épaules se voûtèrent.

— Ramène-moi, s'il te plaît, demanda-t-il à Dickon.

— Naturellement, répondit l'autre garçon.

À mesure qu'ils quittaient la clairière, les plantes semblaient se rétracter autour du fauteuil roulant ; les rhubarbes géantes et les plantes rampantes s'enroulaient sur elles-mêmes, les branches s'affaissaient, les feuilles brunissaient de tristesse.

Mary, elle, était tout à sa déception. Elle ne savait trop, au juste, ce qu'elle avait escompté. Peut-être que Colin trouve un peu de paix à la vue de l'endroit où sa mère était morte, à l'idée que, d'une certaine manière, elle y était encore. À aucun moment elle n'avait voulu qu'il souffre. Elle promena son regard dans la clairière. Que faire, à présent ?

— Dis-le-moi, chuchota-t-elle au jardin. Montre-moi, je t'en supplie.

❋

Mary ne trouva pas le sommeil, cette nuit-là. Elle alla reprendre les lettres de sa mère, puis s'assit par terre et les feuilleta. Son esprit ressassait les événements, cherchait la meilleure solution.

C'est alors qu'un souvenir lui revint. Son père qui l'enlaçait, séchait ses larmes. « Ta mère est triste en ce moment, petit singe, et sa tristesse l'indispose. Ne sois pas fâchée qu'elle refuse de te voir. Ce n'est pas sa faute. Un jour tu comprendras. »

« Est-ce que je comprends, aujourd'hui ? » s'interrogea Mary.

En tout cas, elle portait un nouveau regard sur le passé.

Levant les yeux, elle aperçut sa mère à la fenêtre. La mine triste – à cause de la mort de sa sœur, elle le savait maintenant.

Abasourdie, Mary ne put même pas prononcer un mot. Un courant d'air balaya la chambre, fit tourbillonner les lettres. Mary les saisit au vol.

— Je m'en veux tellement, maman, murmura-t-elle. Je ne te comprenais pas. Mais à présent, je crois que si.

Le regard de sa mère croisa le sien, l'apparition sourit puis se dissipa. Mary savait désormais ce qu'elle avait à faire.

✳

Le lendemain matin, sitôt levée, elle alla rendre visite à Colin, avec les lettres. Elle trouva porte close, agita la poignée.

— C'est moi. Peux-tu appeler Martha, afin qu'elle m'ouvre ?

— Je ne veux pas te voir aujourd'hui, lui répondit Colin d'une voix glaciale. Ni aller au jardin.

— Mais j'ai quelque chose à te montrer, l'implora Mary. J'ai découvert des lettres que ma mère avait envoyées à la tienne. Il y est question de toi et de sa maladie, du souci qu'Archie – ton père – a de ta santé. À cause de sa bosse. Elle prétend qu'il redoute que tu ne deviennes bossu, toi aussi. Elle dit craindre qu'il ne projette ses peurs sur toi et qu'il ne finisse par te rendre malade après sa mort à elle. Or c'est précisément ce qui s'est produit. Je crois que tu devrais les lire, que cela pourrait te faire changer d'avis. S'il te plaît…

Un silence se fit. Mary guettait la réaction de son cousin, se demandait ce qu'il allait dire, quand soudain la porte s'ouvrit. Elle écarquilla de grands yeux effarés. Colin s'était levé et était venu lui ouvrir, lui-même. Il s'appuyait au battant, pas bien stable sur ses jambes.

— Je souhaite lire ces lettres, déclara-t-il.

Sur ce, ses jambes le trahirent et il s'écroula dans un cri. Mary tenta de le rattraper, mais elle n'était pas assez forte, et elle s'effondra avec lui.

— Aïe ! gémit-elle lorsqu'ils furent au sol.

Colin se dégagea en s'excusant.

— Tu as marché, Colin ! s'écria Mary, sans se soucier de quelques ecchymoses. Tu t'es levé et tu as marché !

Le garçon regardait ses jambes, confus.

— J'ai marché, oui. J'ai vraiment marché ?

Le visage de Mary s'illumina.

— Accepteras-tu de croire à la magie, à présent ?

Mary aida Colin à s'installer dans son fauteuil, puis elle lui montra les lettres.

— Tiens. Lis-les.

Et elle les déposa sur ses genoux.

— Je vais les lire, oui, acquiesça le garçon. Mais pas ici. Au jardin.

Alors, ils se mirent en route. Au jardin, ils trouvèrent Dickon occupé à tailler une haie près des statues. Ils lui expliquèrent la raison de leur venue, puis allèrent tous ensemble s'asseoir dans la clairière aux mille fleurs, près de la balançoire. Colin et Mary lurent les lettres tandis que Dickon caressait Hector.

— Écoute un peu, Mary ! s'exclama Colin. « Elle n'a peur de rien, elle est même un peu casse-cou, mais elle a un moral à toute épreuve. Elle me rend tellement fière. »

— De qui parle-t-elle ? lui renvoya Mary.

Dickon gloussa.

— De toi, petite sotte ! sourit Colin. Elle te décrit à ma mère. Elle t'aimait, Mary.

L'intéressée fronça les sourcils. Elle avait sauté les passages qui ne concernaient pas Colin et ses parents.

— Il y a forcément erreur, douta-t-elle.

Malgré les événements de la nuit précédente, elle avait du mal à se défaire des convictions de toute une vie.

— Ma mère refusait que je l'approche. Elle n'était pas fière de moi, je te le garantis.

Mais pour la première fois, ces mots lui semblèrent être sortis comme par eux-mêmes – des mots qu'elle répétait par habitude, et non des mots qu'elle pensait sincèrement.

Elle changea donc de sujet. Le plus important, c'était Colin.

— Écoute ce passage, il parle de toi, reprit-elle. « Je suis vraiment ravie que Colin te fasse rire. Il s'est réellement pris pour un chien toute une journée ? Quel amour. Archie me donne l'impression d'en être très épris. Tout comme moi de Mary. »

Sa voix se perdit quand elle comprit ce qu'elle venait de lire.

— Mon père ne m'aime pas, indiqua Colin en secouant la tête. Autrement, il ne m'obligerait pas à prendre un médicament dont je n'ai pas besoin, il ne me consignerait pas dans ma chambre et il viendrait me voir.

— La douleur fait faire de drôles de choses, estima Dickon en haussant les épaules, aux hommes comme aux bêtes.

Mary se rappela la fois où Hector avait voulu la mordre tant il souffrait.

— Un deuil, ça change les gens, poursuivit Dickon. Y compris ta mère, Mary. Ses lettres montrent qu'elle t'aimait, même si tu penses le contraire.

— Tu ne sais rien de ma mère, rétorqua la fillette.

— Non, concéda Dickon. Mais je sais ce que ça fait de perdre un proche.

Les trois amis restèrent un moment sans rien dire. Colin rompit ensuite le silence en lisant à voix haute un nouveau passage.

— Écoutez un peu : « Elle me rappelle comment tu étais à son âge, Grace. Elle invente des histoires sans arrêt, et n'aime rien tant que jouer aux marionnettes. Elle m'a présenté un spectacle hier soir, autour d'un mythe des

Indes. Ç'a été toute une aventure. Sa pauvre ayah a même dû confectionner des rideaux de soie ! J'adore la regarder, écouter ses récits. »

Mary n'en croyait pas ses oreilles.

— Elle a écrit qu'elle aimait mes pièces ? voulut-elle se faire préciser.

Colin acquiesça, puis embraya :

— Es-tu toujours certaine que ta mère te détestait, Mary ? Sans l'ombre d'un doute ?

Il lui remit la lettre.

Mary relut le passage, et ce fut comme si une lanterne s'éclairait dans sa tête. Des souvenirs défilèrent devant ses yeux, le passé se recomposa et, tout à coup, la petite fille se mit à voir son enfance d'un œil neuf : sa mère ne l'avait pas en horreur. Mary lui rappelait seulement sa sœur décédée, au point qu'elle ne supportait plus de la voir. Une mère qui souffrait tant d'avoir perdu sa jumelle, qu'elle s'était coupée du monde – un animal blessé qui chassait tous ceux qui tentaient de l'approcher, y compris sa propre enfant.

« Elle m'aimait, oui, elle m'aimait », comprit Mary.

— Nous ne connaissons peut-être pas nos parents aussi bien que nous le pensons, toi et moi, déclara Colin.

Mary acquiesçait lentement, lorsqu'elle entendit un rire léger et aperçut les silhouettes fantomatiques de sa mère et de sa tante, de Colin et d'elle-même enfants, qui sautillaient entre les statues en se tenant tous les quatre par la main. Les yeux des deux mamans brillaient d'amour pour leurs petits. Tous les quatre poursuivirent leur sarabande jusqu'au temple, où ils se volatilisèrent dans la lumière.

❋

Mary ne pensa qu'aux lettres tout le restant de la journée. Aux passages qui la concernaient, bien sûr, mais aussi à ceux qui évoquaient son oncle. Sa tante laissait entendre qu'il aimait énormément Colin, alors pourquoi s'était-il coupé de lui ? Et pourquoi forçait-il son fils à prendre un médicament et lui faisait-il croire qu'il avait une bosse ? La maladie de Colin ne serait-elle que la conséquence des peurs que son père projetait sur lui ?

Elle aidait Colin à se recoucher dans son lit, en fin de journée, quand Martha fit irruption dans la chambre.

— Mademoiselle ! C'est Mme Medlock. Elle vous cherche. Elle ne doit surtout pas vous trouver ici !

Mary s'éclipsa. Elle s'engagea dans les couloirs et déboucha dans le grand escalier à l'instant où son oncle franchissait la porte d'entrée. Elle s'apprêtait à se réfugier dans sa chambre, lorsque Mme Medlock l'interpella de la salle de bal :

— Ah ! te voilà. Je t'ai cherchée partout.

— J'étais sortie, mentit Mary, bien contente de porter encore ses habits d'extérieur en guise de preuve.

La gouvernante sourit – Mary songea à un chat découvrant un bol de crème. La dame semblait fort satisfaite. Mary en eut la chair de poule.

— Nous avons reçu une excellente nouvelle, aujourd'hui, déclara Mme Medlock. Le séminaire pour jeunes filles de Mlle Clawson vient de nous répondre. (Son sourire s'élargit encore.) Et ils sont disposés à t'accepter.

— M'accepter ? répéta Mary, décomposée.

— Oui, confirma la gouvernante avec un sourire victorieux. Tu vas partir en pension. Nous avons déjà fait tes bagages. L'auto passera te prendre demain après-midi !

CHAPITRE VINGT

Une issue

Mary considérait Mme Medlock d'un œil horrifié.

— En pension ! Non, je ne suis pas prête ! Je ne peux pas y aller !

— Tu n'as pas ton mot à dire, mon enfant, répliqua la gouvernante. Tout est arrangé. Cet établissement est vraiment l'idéal pour toi, la discipline y est stricte.

Mary vit son oncle qui s'éloignait. Elle dévala les marches.

— Mon oncle. Je vous en supplie ! l'interpella-t-elle.

— Pas de ça ! répliqua Mme Medlock en se lançant à sa poursuite. N'ennuie pas ton oncle.

— Mon oncle… Monsieur Craven… monsieur ! Par pitié, ne me chassez pas. Je dois absolument rester.

L'homme ne s'arrêta pas plus qu'il ne lui adressa un regard. Furieuse, aveuglée par la rage, Mary l'empoigna par le bras et s'écria :

— Colin n'est pas bossu ! Pourquoi persistez-vous à prétendre le contraire ?

— Que me racontes-tu là ? lui répondit son oncle en se dégageant.

— Colin ! Il n'a pas de bosse et vous le savez ! (Lisant la surprise sur les traits de son oncle, elle comprit tout.) Mais bien sûr... Vous n'avez pas vu son dos, n'est-ce pas ? Si vous lui rendiez visite, vous sauriez.

— Lorsque Colin était enfant, le médecin a déclaré qu'il risquait de développer une bosse comme la mienne, sauf s'il prenait un certain médicament et suivait ses prescriptions, expliqua M. Craven d'une voix guindée. J'ai fait ce qu'il recommandait. Je refuse que mon fils endure ce que j'ai enduré. Son corps est faible.

— Mais pas à cause d'une bosse ! argumenta Mary. C'est uniquement parce qu'il vit cloîtré, parce qu'on lui fait croire qu'il est invalide, et parce qu'il n'a jamais le droit de se servir de ses jambes. Vous pouvez y remédier. Il n'est pas mourant. Je vous en conjure, vous devez me croire !

À bout de souffle, Mme Medlock venait de rattraper Mary et tentait de l'éloigner de son oncle.

— Tais-toi donc ou ce sera bien pire.

Mais Mary ne se laissa pas réduire au silence. Elle devait convaincre son oncle coûte que coûte.

— Ce n'est pas ce que tante Grace aurait voulu pour Colin, affirma-t-elle. Vous ne le voyez donc pas, mon oncle ? Ce n'est pas ce qu'elle aurait voulu pour lui, ni pour vous !

— Silence, petite effrontée ! tonna M. Craven. Tu ne sais rien de mon épouse.

— Je suis navrée, monsieur, s'immisça Mme Medlock. Je veillerai à ce qu'elle soit punie.

Mary tapa du pied, comment leur faire entendre raison ?

— Je sais qu'elle ne serait pas restée à sa porte, la nuit, s'il avait pleuré ! Je sais qu'elle aimait le grand air, et qu'elle aurait refusé que Colin passe sa vie enfermé, à se croire bossu alors qu'il ne l'est pas ! Vous ne voyez donc pas que cette maison est devenue une prison ? Pour lui comme pour vous !

Son oncle la toisa un long moment, puis s'éloigna.

— Je suis confuse, monsieur, lui lança Mme Medlock. Elle sera partie demain.

— Bien ! répliqua l'homme sans même se retourner.

Mme Medlock escorta Mary à sa chambre et l'y poussa rudement. Oubliant la promesse qu'elle s'était faite plusieurs mois auparavant de ne plus jamais pleurer, Mary versa toutes les larmes de son corps. Elle ne supporterait pas d'être envoyée en pension, de devoir abandonner ses amis et le jardin secret.

Elle finit par s'endormir à force de pleurer. Lorsqu'elle se réveilla en pleine nuit, tout lui revint brusquement, et une détermination d'acier l'envahit. Qu'ils essaient de l'envoyer en pension, s'ils le souhaitaient... il faudrait d'abord qu'ils la trouvent !

La fillette sortit de sa chambre, descendit l'escalier sur la pointe des pieds. Le bureau de son oncle était entrouvert. De la lumière s'en échappait. Mary alla jeter un coup d'œil à l'intérieur. Archibald était assis dans un fauteuil en cuir près de la fenêtre. Sur une table, à sa droite, une bouteille de whisky. Il tenait un verre à moitié plein dans une main, et dans l'autre une photographie encadrée. Celle que Mary avait vue précédemment dans cette même pièce : tante Grace au premier plan, assise dans l'herbe, Colin qui l'enlaçait. Tous deux souriaient au photographe.

Mary vit alors son oncle se passer une main sur la figure.

— Qu'ai-je fait ? marmonna-t-il. Oh, Grace ! qu'ai-je fait ?

La gorge nouée, la petite fille s'apprêtait à poursuivre sa route quand le courant sauta et plongea le bureau dans le noir. Elle se figea, le temps que sa vue s'adapte. À la faveur du clair de lune, son oncle parvint à dénicher une bougie et des allumettes. Il se roussit les doigts en voulant enflammer la mèche et lâcha un petit cri de colère quand l'allumette s'éteignit. Priant pour ne rien renverser ni buter dans quoi que ce soit, Mary regagna le grand escalier. Elle enfila ensuite son manteau le plus chaud et ses bottes fourrées, puis elle sortit par la porte de derrière.

À l'instant où l'air glacial de la nuit frappa son visage, elle éprouva un mélange de soulagement et de terreur. Elle avait réussi ! Elle s'était évadée !

❋

Mary passa cette nuit-là dans le temple secret, auprès d'Hector. Elle s'éveilla à l'aube, le ventre creux. C'est alors que Dickon fit son entrée dans le jardin, en sifflotant. Il s'arrêta, surpris, lorsqu'il découvrit son amie assise avec le chien sur les marches du temple, contemplant le lever du soleil dont les rayons caressaient l'océan de fleurs qui égayaient désormais les lieux. Les mauvaises herbes vaincues, les fleurs s'étaient ouvertes. Des grappes de muguets et de jacinthes poussaient à l'ombre, devant de grandes digitales pourpres. Des buissons d'hortensias aux fleurs lilas et roses évoquant des pompons se déversaient des bordures, tout comme les nuages blancs des fleurs d'oranger et ceux jaunes des millepertuis.

— Mary ? interrogea Dickon. Que fais-tu là ?

— Ils veulent m'envoyer en pension cet après-midi, annonça la petite fille d'une voix lugubre. Mais je n'irai pas. Je m'y refuse, Dickon !

Celui-ci hocha la tête.

— Colin va se demander où je suis, reprit Mary. Tu veux bien aller le trouver ? Et demander à Martha de t'aider à le conduire au jardin ?

Elle suivit du regard le garçon qui s'en allait. Que pouvait-il bien se passer au manoir, en ce moment ? Sa disparition avait dû être découverte. Qu'en pensait-on ? Mary se réjouit d'avoir dupé Mme Medlock – cela lui procura une sensation qui réchauffa ses doigts et ses orteils frigorifiés. À mesure que le soleil montait dans le ciel, elle sentait sa chaleur imprégner sa peau. Elle décida d'aller boire au ruisseau.

Lorsqu'elle revint, Dickon poussait Colin dans son fauteuil. Les deux garçons étaient surexcités.

— On a frôlé la catastrophe, Mary ! lui expliqua son cousin. Mme Medlock a failli surprendre Dickon dans ma chambre. Le pauvre a dû se réfugier dans ma penderie. Quand Mme Medlock est repartie, il m'a poussé aussi vite qu'il a pu. J'ai cru qu'il allait finir par m'éjecter de mon fauteuil. (Il remarqua la petite mine qu'affichait Mary.) Que se passe-t-il ? Dickon m'a dit que tu avais fugué, s'inquiéta-t-il.

Mary courut vers lui, pour lui répondre :

— J'ai fugué, oui. Je ne peux pas aller en pension, Colin. C'est hors de question ! (Elle promena son regard alentour.) D'autant que rien ne m'y oblige. (Un plan lui était venu pendant la nuit.) Je n'ai qu'à rester au jardin ! (Son cousin n'avait pas l'air bien convaincu.) J'y serai heureuse. Tu m'apporteras mes repas et des habits. Des couvertures, aussi, insista-t-elle.

Colin secoua la tête.

— Je sais que tu ne veux pas aller en pension, dit-il, et nous non plus, nous ne voulons pas que tu partes…

— C'est vrai, intervint Dickon.

Mary fut touchée de toute l'amitié qu'elle lut dans les regards des garçons.

— Mais tu ne peux pas te cloîtrer dans ce jardin, reprit Colin en se dressant sur ses jambes flageolantes. C'est aussi nocif que lorsque je reste enfermé dans ma chambre. Vivre, c'est autre chose.

— Tu n'as jamais vécu ! répliqua Mary.

— Et toi, tu vas te retrouver seule à force de croire que personne ne t'aime ! la contra Colin.

Sa cousine le foudroya du regard. Puis elle argumenta encore :

— Tu ne comprends pas. En pension, personne ne m'aimera comme toi. Je m'y retrouverai toute seule, comme avant, et je ne pense pas que je le supporterai. (Elle haussa la voix.) Je suis bien mieux ici. J'aime le jardin… (Elle embrassa le paysage d'un geste ample.) Et je vous aime tous les deux.

Hector interrompit la conversation par des aboiements frénétiques. Mary plissa le front. Quelle mouche l'avait piqué ?

Les trois jeunes gens se tournèrent dans la direction que fixait l'animal. Au loin, à l'emplacement du manoir, ils virent de la fumée monter dans le ciel.

— Cette fumée… s'angoissa Colin. Est-ce normal ?

— Non, s'alarma Dickon.

— Elle vient de la maison ! C'est un incendie ! s'étouffa Mary.

— Papa ! s'écria Colin.

— Martha ! s'exclama Dickon.

Mary n'hésita pas une seconde. Elle s'élança vers la porte. Dickon lui emboîta le pas. Colin tituba derrière eux. Mary se retourna et lut la frustration et la défaite sur les traits de son cousin.

— Je ne peux pas ! capitula le malheureux. Mais vous, allez-y... Vite !

CHAPITRE VINGT ET UN

L'incendie

Mary et Dickon regagnèrent le manoir au pas de course. Des flammes jaillissaient de toutes les fenêtres et une fumée noire s'élevait dans le ciel. La maison serait bientôt réduite en cendres !

À la porte d'entrée, ils trouvèrent Martha qui sortait en toussant et crachotant.

— Mary ! Dickon ! s'écria-t-elle. Éloignez-vous. La brigade a été prévenue. Nous ne pouvons rien faire de plus.

— Tout le monde est-il à l'abri ? l'interrogea Mary.

— Non, pas le maître, révéla la servante, les larmes aux yeux. Personne ne l'a vu depuis que le feu a pris.

Mary s'élança vers la porte, gravit les marches deux par deux.

— Mary ! tenta de la retenir Dickon.

— Je sais où le trouver ! lui répondit la fillette.

Elle traversa le hall d'entrée puis s'engouffra dans l'escalier. L'air était brûlant ; la fumée, omniprésente.

Mary en pleurait. La maison résonnait des crépitements du feu et des craquements des objets que les flammes dévoraient. Mary parvint tout de même à l'étage, où elle courut à la chambre de Colin. La porte était ouverte. À l'intérieur son oncle semblait désemparé, son regard dardait dans toutes les directions à la fois.

— Je savais que vous seriez là, haleta Mary.

L'homme se tourna vers elle, secoué par une toux. Il avait le visage crasseux, les cheveux en bataille.

— Colin, où est Colin ? demanda-t-il d'une voix étouffée.

— Venez, suivez-moi, insista sa nièce en le prenant par le bras.

— Je ne partirai pas sans mon fils ! se récria M. Craven. Je ne l'abandonnerai pas. Pas une seconde fois.

— Votre fils n'est pas au manoir.

La douleur déforma les traits de son oncle.

— Est-il déjà mort ?

— Non ! Je l'ai quitté il y a cinq minutes. Je vous en donne ma parole. Allons, venez, je vais vous conduire à lui !

Mary savait que le temps pressait. Elle tira l'homme par le bras et, cette fois, il se laissa entraîner loin des flammes qui commençaient à l'encercler.

Mary lui fit parcourir le couloir à l'atmosphère irrespirable mais, quand ils parvinrent à l'escalier, une partie du plafond s'effondra. Mary bondit en arrière. La maison s'écroulait autour d'eux.

— Rebroussons chemin, décida-t-elle en pivotant sur elle-même.

Tous deux repassaient devant la chambre de Colin lorsque, cette fois, ce fut le sol qui céda devant eux. Des flammes montèrent par l'ouverture.

« Nous sommes coincés, se désespéra Mary. Nous allons être brûlés vifs. »

Mais elle se reprit très vite et demanda :

— Mon oncle, vous connaissez ce manoir mieux que moi. Par où pouvons-nous sortir ?

Hélas ! l'homme fut secoué par une forte toux, puis il tomba à terre.

— Non ! hurla de désespoir Mary. Je vous en supplie, relevez-vous… Je n'aurai pas la force de vous porter.

— Laisse-moi, lui ordonna son oncle. S'il te plaît, pars sans moi.

— Non, s'indigna Mary, Colin a besoin de vous.

— J'ai tout gâché, lâcha M. Craven d'une voix rauque.

C'est alors que Mary entendit des pas. En levant les yeux, elle vit les silhouettes spectrales de sa mère et de tante Grace dans le couloir. Elle les supplia du regard, les implora de l'aider. En une fraction de seconde, Grace fut près d'elle, aida l'oncle de Mary à se relever. Puis elle courut rejoindre sa sœur à la porte de la chambre cachée. Les deux fantômes rivèrent leur regard sur Mary.

Celle-ci comprit qu'elles lui indiquaient une issue.

— Par ici ! haleta-t-elle.

Mary soutint son oncle et, ensemble, ils suivirent les deux fantômes. Sa mère et Grace pénétrèrent dans la chambre aux peintures murales puis traversèrent le mur pour passer dans la chambre secrète. Mary actionna la tigette en bois, poussa son oncle dans la chambre et claqua la porte derrière eux. Les sœurs, elles, se tenaient à l'autre bout de la pièce. Avec un air complice, elles se volatilisèrent.

— Non ! s'époumona Mary.

Mais soudain elle la vit : l'autre porte, celle par laquelle les fantômes venaient de disparaître. Toute petite, dissimulée par le papier peint, équipée d'une poignée ronde que Mary actionna. Malheureusement, la porte était fermée à clé.

— Aidez-moi, mon oncle ! cria-t-elle.

En proie à la panique, elle se mit à donner des coups de pied dans le mince battant. Puis elle se tourna vers le maître de maison. L'homme était à genoux. En larmes, il contemplait les robes.

— J'ai besoin de vous ! insista Mary.

Son oncle se redressa alors en titubant et se projeta de toutes ses forces contre la porte. Celle-ci céda, dévoilant un escalier de service épargné par les flammes. Mary et son oncle s'y engouffrèrent, manquèrent de déraper plusieurs fois, mais franchirent enfin une autre porte qui donnait dans la cage d'escalier du grand hall. Les flammes léchaient les marches. Les silhouettes des sœurs reparurent devant eux puis se précipitèrent dans le hall. Mary prit son oncle par la main et leur emboîta le pas. Ils étaient presque au rez-de-chaussée, la fumée tourbillonnait dans l'escalier, quand soudain M. Craven perdit l'équilibre et chuta, entraînant la petite fille avec lui. Ils s'écroulèrent ensemble sur le sol dallé du hall.

Mary resta un moment sans pouvoir bouger, comme dans du coton. Elle leva les yeux et vit sa mère qui se penchait sur elle.

— Maman ?

Elle n'aurait su dire si elle avait prononcé ce mot à haute voix ou dans sa tête – toujours est-il que sa mère lui sourit.

— Oh ! maman, j'ai tout gâché, se lamenta la fillette en larmes. Et moi qui voulais tout arranger…

Sa mère lui caressa la joue.

Mary sentit son cœur se figer.

— Je t'en supplie, ne pars pas…

Sa mère secoua la tête et déposa un baiser sur les cheveux de sa fille. Au contact de ses lèvres froides, Mary ressentit tout son amour. Leurs regards se croisèrent une dernière fois, puis la mère sourit tendrement à sa fille et disparut.

— Mary !

Dickon et Martha surgirent de l'épaisse fumée.

— Mary, tu es…

— Occupez-vous de mon oncle ! les coupa Mary. Lui d'abord.

Martha et Dickon soulevèrent M. Craven par les bras. Dickon voulut aussi aider Mary, mais celle-ci se redressait déjà tant bien que mal. Au moment de regagner la porte d'entrée, elle se retourna et vit les silhouettes souriantes de sa mère et de Grace au pied du grand escalier. Leurs visages exprimaient le bonheur et la sérénité. Main dans la main, elles s'engagèrent sur les marches, s'enfoncèrent dans les flammes, regagnèrent leur demeure et disparurent.

« Adieu », songea Mary.

Secouée par la toux, pantelante, elle sortit au grand air en titubant.

CHAPITRE VINGT-DEUX

Il faut croire à la magie

Martha et Dickon éloignèrent Mary de la maison. La fillette s'effondra auprès de son oncle et s'efforça d'inspirer profondément. M. Craven avait le visage et les habits maculés de suie et de cendre ; elle-même n'avait pas meilleure allure.

— Faites place ! Faites place ! cria Mme Medlock avec de grands gestes tandis que les sirènes de la brigade des pompiers retentissaient.

— Où avais-tu la tête, petiote ? gronda Mme Pitcher. Quelle folie…

La cuisinière semblait hésiter entre les rires et les pleurs.

— Quel courage, surtout, intervint Martha.

La servante aida Mary à se rasseoir. Celle-ci éprouva un immense soulagement. Elle avait réussi. Elle avait sauvé son oncle.

M. Craven se releva avec difficulté. Il paraissait brisé.

— Montre-moi, ordonna-t-il à Mary d'une voix rauque. Conduis-moi à mon fils. Je dois le voir.

Mary se tourna vers Dickon, qui acquiesça imperceptiblement.

— Par ici, monsieur, répondit-elle.

Dickon et Mary précédèrent M. Craven à la porte dissimulée par le lierre. Mary adressa un bref regard à son oncle, et découvrit ses traits tirés.

— Colin est derrière cette porte, annonça-t-elle en écartant le rideau végétal.

Quand son oncle et Mme Medlock pénétrèrent dans le jardin, le soleil perçait la longue canopée de cytises jaunes. Mary lut l'étonnement sur les visages des deux adultes qui découvraient le somptueux tunnel doré, puis s'engageaient dans le jardin aux parterres en fleurs.

— Quelle merveille ! prononça la gouvernante en admirant les allées fournies, les arbres bien entretenus et le sentier de gravier libéré des mauvaises herbes.

— Tout cela est à nous, déclara Mary. (Elle se tourna vers son oncle, qui contemplait, stupéfait, cette explosion de couleurs.) Autrefois, le jardin appartenait à Grace, mais je pense qu'elle souhaite désormais le partager.

— Mais où est mon fils ? l'interrogea M. Craven.

— Vous n'avez qu'à l'appeler… l'encouragea Mary.

L'homme s'avança d'un pas vif.

— Colin ? héla-t-il en écartant les plantes. Colin ?

Mary, Dickon et Mme Medlock le suivaient.

— Soyez prudent, monsieur, recommanda la gouvernante.

Mais M. Craven ne l'écoutait pas.

— Colin ! appela-t-il plus fort.

Le garçon était assis dans l'herbe, près du temple, les manches retroussées.

— Là ! indiqua Mary en tirant son oncle par le bras, un doigt pointé vers Colin.

— Père ! cria le garçon, au comble du soulagement. Vous n'avez rien !

M. Craven se précipita vers lui. Mary sautillait de joie. L'homme s'arrêta à quelques pas de son fils, et l'observa, incrédule.

— Je croyais t'avoir perdu… murmura-t-il sans quitter son fils des yeux. Et te retrouver ici… dans son jardin…

Il voulut encore approcher, mais Colin secoua la tête.

— Non, attendez, demanda le garçon. S'il vous plaît, père.

Alors, à grand-peine, il se dressa sur les genoux, puis, s'aidant d'un bâton que lui avait taillé Dickon, il se leva et adressa un sourire plein de fierté à son père.

— Colin… tu es debout ! blêmit M. Craven.

Le garçon hocha la tête, fit un pas en direction de son père. Une pause, puis il fit un autre pas, suivi d'un troisième. M. Craven l'observait, fasciné.

— Mais comment cela est-il possible ? chuchota-t-il.

Colin tituba jusqu'à s'effondrer dans ses bras.

— La magie, révéla-t-il en même temps que son père le rattrapait. (Leurs regards se rivèrent l'un à l'autre.) Les secrets. (Colin contempla le jardin.) *Elle*…

— Elle ? répéta M. Craven, interdit.

— Sa mère, précisa Mary.

— Elle est ici, assura Mme Medlock. J'en ai la certitude, monsieur.

Mary n'avait jamais entendu la gouvernante parler d'une voix aussi chaleureuse. Les deux adultes échangèrent un regard. Une larme coula sur la joue de l'homme. Celui-ci grogna puis serra Colin contre son cœur, comme déterminé à ne plus jamais le lâcher.

Lorsque enfin il se dégagea, ce fut pour dire :

— Pardonne-moi, Colin. J'aurais dû te rendre visite plus souvent, et aussi me rendre compte que tu n'avais pas besoin de médicaments. Mais je… (Il s'étrangla.) Tout cela était trop dur pour moi. Excuse-moi… je te demande pardon.

— Ce n'est rien, père, répondit Colin, les yeux étincelants. Je comprends. Si j'ai été un prisonnier chez nous, vous l'avez été tout autant.

Son père l'observa d'un air pensif.

— Comment se fait-il, s'interrogea tout haut M. Craven, que ce soit nos enfants qui nous fassent la leçon ?

Mary échangea un regard avec Dickon.

« Des leçons, chacun ici en a fait aux autres, se dit-elle. Et le jardin nous en a donné à tous. »

Colin reprit alors la parole d'une voix forte et assurée :

— Assez de reproches. Dites-moi, père, comment trouvez-vous notre jardin ? Accepteriez-vous que je vous fasse faire le tour du propriétaire ?

Un sourire éclaira le visage de M. Craven.

— Oui, Colin, répondit-il en s'éclaircissant la voix. Avec joie.

Colin se mit à déambuler dans le jardin, d'une démarche hésitante, et à désigner les différentes plantes à son père et à Mme Medlock. Mary adressa un sourire à Dickon, tandis que les deux amis suivaient le trio, Hector sur leurs talons.

CHAPITRE VINGT-TROIS

Quatre mois plus tard

Assis sur la berge du ruisseau, Mary, Colin et Dickon trempaient leurs pieds dans l'eau pure tandis qu'Hector fouillait les buissons environnants. Le printemps avait passé, le jardin était une explosion de fleurs estivales – roses trémières et campanules, pois de senteur et chèvrefeuille, parterres de lavande et de géraniums, et partout des dahlias jaunes et rouges. La porte du jardin restait ouverte en permanence. Quant au manoir, il avait bien changé. L'oncle de Mary s'était entièrement consacré à la reconstruction, avait supervisé les travaux des ouvriers et des décorateurs. C'était comme si son âme avait repris vie à mesure qu'il bâtissait une nouvelle demeure sur les cendres d'une prison. Le projet d'envoyer Mary en pension avait été abandonné le jour de l'incendie, et c'était désormais M. Craven lui-même qui s'occupait de l'instruction de Colin et de Mary, à l'aide des ouvrages de sa bibliothèque.

L'homme avait également embauché du personnel pour soulager Mme Medlock, Martha et Mme Pitcher. La maison était une véritable ruche où régnait de nouveau le bonheur. Dickon avait été nommé jardinier. Il pouvait toujours se glisser dans la brume telle une ombre, mais on le voyait plus souvent arpenter le domaine en sifflotant, flanqué d'Hector.

Leurs leçons matinales terminées, Colin et Mary avaient l'habitude de passer récupérer leur déjeuner en cuisine – où Mme Pitcher prévoyait toujours quelques tranches de spam supplémentaires pour Hector – après quoi ils retrouvaient Dickon et le chien dans le jardin secret. Ils passaient alors l'après-midi ensemble, à entretenir les lieux, désherber les allées, éclaircir les massifs. Ils jouaient, aussi, et Mary racontait des histoires à ses amis. Leurs rires semblaient faire pousser la végétation de plus belle et, chaque jour, Colin prenait de la vigueur et de la santé. Il pouvait maintenant courir, mais aussi nager et plonger.

— Raconte-nous une histoire, Mary, réclama-t-il tandis que le trio barbotait toujours dans le ruisseau.

— Fort bien, accepta la petite fille. (Elle regarda tour à tour ses deux compagnons, et se sentit parcourue par une onde de bonheur.) Il était une fois trois individus qui s'aimaient beaucoup…

— Quatre, l'interrompit Colin en passant un bras autour d'Hector. N'oublie pas Hector…

— C'est peut-être *toi* que j'oubliais ! le taquina Mary.

Colin arracha une poignée d'herbe qu'il lui jeta par plaisanterie.

— Je veux qu'il y ait cinq personnages dans ton histoire – non, six ! Hector, mon père et aussi Martha.

— Oui, Martha aussi ! approuva Dickon.

— Si vous ne vous taisez pas, tous les deux, je m'arrête là ! menaça Mary.

Les garçons échangèrent un regard penaud.

— Désolé, firent-ils en chœur.

— Bien… je recommence. (Elle leur fit un sourire espiègle.) Il était une fois *plusieurs* individus qui vivaient tous ensemble dans une vieille maison abandonnée. Ils possédaient également un jardin – un jardin secret qu'ils avaient découvert par hasard.

Le rouge-gorge vint se poser sur une pierre, tout près de Mary. Il gazouilla comme pour l'encourager, et elle lui sourit.

— Ce jardin était peuplé de gentils oiseaux, ainsi que d'autres animaux tout aussi bons. Il y avait là un ruisseau miraculeux et des fantômes bienveillants. Les premiers temps, les gens qui vivaient là l'ignoraient, mais ce jardin était magique. Et plus ils s'y rendaient, plus le jardin leur apportait force et santé.

Colin hocha la tête d'un air satisfait.

— Ils étaient tous heureux d'être ensemble – très heureux.

Mary promena son regard alentour. Le jardin semblait étinceler de secrets autrefois dissimulés, mais désormais révélés. La joie l'envahit.

— Ces gens sauvèrent le jardin autant que celui-ci les sauva, prononça-t-elle tout bas, parce qu'ils croyaient en la magie de ce lieu.

Un souffle d'air fit bruire les fleurs et les arbres.

« *Magie* », murmura le jardin en guise de réponse.

Ouvrage composé par
PCA – 44400 REZÉ

Imprimé en France
par Normandie Roto Impression s.a.s.
61250 Lonrai
N° d'impression : 2000860
S31038/01

PKJ • www.pocketjeunesse.fr
POCKET JEUNESSE

MIXTE
Papier issu de
sources responsables
FSC
www.fsc.org
FSC® C003309

Pocket Jeunesse, une marque d'Univers Poche,
est un éditeur qui s'engage pour
la préservation de l'environnement
et qui utilise du papier fabriqué à partir
de bois provenant de forêts gérées
de manière responsable.